울산광역시교육청
교육공무직원
제1회 소양평가 모의고사

성명		생년월일	
문제 수(배점)	45문항	풀이시간	/ 50분
영역	직무능력검사		
비고	객관식 4지선다형		

※ 유의사항 ※

- 문제지 및 답안지의 해당란에 문제유형, 성명, 응시번호를 정확히 기재하세요.
- 모든 기재 및 표기사항은 "컴퓨터용 흑색 수성 사인펜"만 사용합니다.
- 예비 마킹은 중복 답안으로 판독될 수 있습니다.

제 1 회 울산광역시교육청 교육공무직원 모의고사

정답해설 p.2

각 문제에서 가장 적절한 답을 하나만 고르시오.

1. 다음 제시된 단어와 의미가 유사한 단어를 고르시오

전가

① 귀선 ② 전하
③ 돈성 ④ 전개

2. 다음 제시된 단어와 의미가 상반된 단어를 고르시오.

수더분하다

① 강건하다 ② 듬직하다
③ 까다롭다 ④ 깔끔하다

3. 다음 제시된 단어의 의미로 옳은 것을 고르시오.

고루하다

① 정체가 확인되지 아니한 어떤 대상에 대하여 누구 또는 무엇이라고 짐작되는 상태에 있다.
② 낡은 관념이나 습관에 젖어 고집이 세고 새로운 것을 잘 받아들이지 아니하다.
③ 시간이 오래 걸리거나 같은 상태가 오래 계속되어 따분하고 싫증이 나다.
④ 쪼개거나 나누어 따로따로 되게 하다.

4. 다음 중 제시된 문장의 밑줄 친 어휘와 같은 의미로 사용된 것을 고르시오.

잔치 음식에는 품이 많이 든다.

① 하숙집에 든 지도 벌써 삼 년이 지났다.
② 언 고기가 익는 데에는 시간이 좀 드는 법이다.
③ 일단 마음에 드는 사람이 있으면 적극적으로 나설 작정이다.
④ 4월에 들어서만 이익금이 두 배로 늘었다.

5. 다음 빈칸에 들어갈 어휘로 가장 적절한 것을 고르시오.

팀장님은 프로젝트가 끝나면 ______ 팀원들과 함께 술을 한잔 했다.

① 진즉 ② 파투
③ 한갓 ④ 으레

6. 문맥으로 보아 다음 글의 (   ) 안에 알맞은 사자성어는?

(   )라고 덕산댁은 복남이를 낳고 산후 조리가 잘못되었던지 얼마 후 중풍에 걸려 몸져눕고 말았다.

① 호사다마(好事多魔)
② 흥진비래(興盡悲來)
③ 전화위복(轉禍爲福)
④ 파죽지세(破竹之勢)

7. 다음에 제시된 글을 흐름이 자연스럽도록 순서대로 배열하시오.

> (가) 사유재산권 제도를 채택한 사회에서 재산의 신규 취득 유형은 누가 이미 소유하고 있는 것을 취득하거나 아직 누구의 소유도 아닌 것을 취득하거나 둘 중 하나다.
> (나) 시장 경제에서 매 생산단계의 투입과 산출은 각각 누군가의 사적 소유물이며, 소유주가 있는 재산은 대가를 지불하고 구입하면 그 소유권을 이전 받는다.
> (다) 사적 취득의 자유를 누구에게나 동등하게 허용하는 동등자유의 원칙은 사유재산권 제도에 대한 국민적 지지의 출발점으로서 신규 취득의 기회균등은 사유재산권 제도의 핵심이다.
> (라) 누가 이미 소유하고 있는 재산의 취득을 인정받으려면 원 소유주가 해당 재산의 소유권 이전에 대해 동의해야 한다. 그리고 누구의 소유도 아닌 재산의 최초 취득은 사회가 정한 절차를 따라야 인정받는다.

① (가) - (다) - (라) - (나)
② (나) - (가) - (라) - (다)
③ (다) - (라) - (가) - (나)
④ (다) - (가) - (라) - (나)

8. 다음 글에서 밑줄 친 문장의 의미로 적절한 것은?

> 자연에서 발생하는 모든 일은 목적 지향적인가? 자기 몸통보다 더 큰 나뭇가지나 잎사귀를 허둥대며 운반하는 개미들은 분명히 목적을 가진 듯이 보인다. 그런데 가을에 지는 낙엽이나 한밤중에 쏟아지는 우박도 목적을 가질까? 아리스토텔레스는 모든 자연물이 목적을 추구하는 본성을 타고나며, 외적 원인이 아니라 내재적 본성에 따른 운동을 한다는 목적론을 제시한다. 그는 자연물이 단순히 목적을 갖는 데 그치는 것이 아니라 목적을 실현할 능력도 타고나며, 그 목적은 방해받지 않는 한 반드시 실현될 것이고, 그 본성적 목적의 실현은 운동 주체에 항상 바람직한 결과를 가져온다고 믿는다. 아리스토텔레스는 이러한 자신의 견해를 "<u>자연은 헛된 일을 하지 않는다!</u>"라는 말로 요약한다.

① 자연물은 모두 이성을 가지고 행동한다.
② 자연물이 목적을 가진 다는 것은 자연에 대한 이해를 왜곡한다.
③ 자연물은 본능적으로 목적을 추구하고 그 본능에 따라 주체에게 이로운 운동을 한다.
④ 자연물의 물질적 구성 요소를 알면 그것의 본성을 모두 설명할 수 있다.

9. 〈보기〉의 글이 들어갈 위치로 적절한 곳은?

보기

고대 그리스의 민주주의나 마그나 카르타(대헌장) 이후의 영국 민주주의는 귀족이나 특정 신분 계층만이 누릴 수 있는 체제였다.

민주주의, 특히 대중 민주주의의 역사는 생각보다 짧다. ① 우리가 흔히 알고 있는 대중 민주주의, 즉 모든 계층의 성인들이 1인 1표의 투표권을 행사할 수 있는 정치 체제는 영국에서 독립한 미국에서 시작되었다고 보는 것이 맞다. ② 하지만 미국에서조차도 20세기 초에야 여성에게 투표권을 부여하면서 제대로 된 대중 민주주의의 형태를 갖추게 되었다. ③ 유럽의 본격적인 민주주의 도입도 19세기 말에야 시작되었고, 유럽과 미국을 제외한 각국의 대중 민주주의의 도입은 이보다 훨씬 더 늦었다. ④

10. 다음 글의 밑줄 친 부분의 가장 핵심 기술은 무엇인가?

낡은 나무 조각에는 좀조개라는 작은 조개처럼 생긴 목재 해충이 뚫어 놓은 구멍이 있었는데, 관찰 결과 그 해충은 톱니가 달린 두 개의 껍질로 보호를 받으면서 구멍을 파고 있었다. 영양분을 섭취한 뒤 나무 가루는 소화관을 통해 뒤로 배출하면서 전진한다는 것을 알아냈다. 특기할 만한 것은 몸에서 나오는 액체를 새로 판 터널의 표면에 발라 단단한 내장 벽을 만들고, 그것으로 굴이 새거나 무너지는 것을 방지하고 있다는 사실이었다. 브루넬은 이 원리를 템스 강의 연약한 지반 굴착에 응용해 <u>실드(방패)공법</u>의 창안자가 되었다.

① 구멍을 파면서 파낸 흙을 뒤로 배출하며 전진하는 기술
② 터널 벽을 단단하게 하여 굴이 무너지는 것을 막는 기술
③ 연약한 지반을 굴착하여 방패 모양으로 만드는 기술
④ 몸에서 나오는 액체를 터널의 표면에 바르는 기술

11. 다음 중 표준어로만 묶인 것은?

① 사글세, 멋쟁이, 아지랭이, 윗니
② 웃어른, 으레, 상판때기, 고린내
③ 딴전, 어저께, 가엽다, 귀이개
④ 주근깨, 코빼기, 며칠, 가벼히

12. 다음 중 띄어쓰기가 모두 옳은 것은?

① 행색이∨초라한∨게∨보아∨하니∨시골∨양반∨같다.
② 이처럼∨희한한∨구경은∨난생∨처음입니다.
③ 이제∨별볼일이∨없으니∨그냥∨돌아갑니다.
④ 동생네는∨때맞추어∨모든∨일을∨잘∨처리해∨나갔다.

13. 다음 〈보기〉와 같은 문장의 빈 칸 ㉠~㉣에 들어갈 알맞은 어휘를 순서대로 나열한 것은 어느 것인가?

보기

- 많은 노력을 기울인 만큼 이번엔 네가 반드시 1등이 (㉠)한다고 말씀하셨다.
- 계약서에 명시된 바에 따라 한 치의 오차도 없이 일이 추진(㉡)를 기대한다.
- 당신의 배우자가 (㉢) 평생 외롭지 않게 해 줄 자신이 있습니다.
- 스승이란 모름지기 제자들의 마음을 어루만져 줄 수 있는 사람이 (㉣)한다.

① 돼어야, 되기, 되어, 되야
② 되어야, 돼기, 돼어, 되야
③ 되어야, 되기, 되어, 돼야
④ 돼어야, 돼기, 돼어, 되어야

14. 남자 7명, 여자 5명으로 구성된 프로젝트 팀의 원활한 운영을 위해 운영진 두 명을 선출하려고 한다. 남자가 한 명도 선출되지 않을 확률은?

① $\frac{1}{11}$

② $\frac{4}{33}$

③ $\frac{5}{33}$

④ $\frac{2}{11}$

15. 어떤 물건의 정가는 원가에 x%이익을 더한 것이라고 한다. 그런데 물건이 팔리지 않아 정가의 x%를 할인하여 판매하였더니 원가의 4%의 손해가 생겼을 때, x의 값은?

① 5
② 10
③ 15
④ 20

16. 입구부터 출구까지의 총 길이가 840m인 터널을 열차가 초속 50m의 속도로 달려 열차가 완전히 통과할 때까지 걸린 시간이 25초라고 할 때, 이보다 긴 1,400m의 터널을 동일한 열차가 동일한 속도로 완전히 통과하는 데 걸리는 시간은 얼마인가?

① 34.5초
② 35.4초
③ 36.2초
④ 36.8초

17. 리우올림픽 축구 본선 경기는 리그전과 토너먼트로 진행된다. 리그전은 조별로 경기에 참가한 팀이 돌아가면서 모두 경기하는 방식이고, 토너먼트는 이긴 팀만이 다음 경기에 진출하고 진 팀은 탈락하는 방식이다. 경기가 다음과 같이 진행된다고 할 때 전체 경기 수는 몇 경기인가?

- 32개 팀을 한 조에 4개 팀씩 8개조로 나누어 먼저 각 조에서 리그전을 한다.
- 각 조의 상위 2개 팀이 16강에 진출하여 토너먼트를 한다.
- 준결승전에서 이긴 팀끼리 1 · 2위전을 하고 진 팀끼리 3 · 4위전을 한다.

① 63
② 64
③ 86
④ 126

18. A기업에서는 매년 3월에 정기 승진 시험이 있다. 시험을 치른 사람이 남자사원, 여자사원을 합하여 총 100명이고 시험의 평균이 남자사원은 72점, 여자사원은 76점이며 남녀 전체평균은 73점일 때 시험을 치른 여자사원의 수는?

① 25명
② 30명
③ 35명
④ 40명

19. 다음 표는 각국의 연구비에 대한 부담원과 사용 조직을 제시한 것이다. 알맞은 것은?

(단위 : 억 엔)

부담원	사용 조직 \ 국가	일본	미국	독일	프랑스	영국
정부	정부	8,827	33,400	6,590	7,227	4,278
	산업	1,028	71,300	4,526	3,646	3,888
	대학	10,921	28,860	7,115	4,424	4,222
산업	정부	707	0	393	52	472
	산업	81,161	145,000	34,771	11,867	16,799
	대학	458	2,300	575	58	322

① 독일 정부가 부담하는 연구비는 미국 정부가 부담하는 연구비의 약 반이다.

② 정부부담 연구비 중에서 산업의 사용 비율이 가장 높은 것은 프랑스이다.

③ 산업이 부담하는 연구비를 산업 자신이 사용하는 비율이 가장 높은 것은 프랑스이다.

④ 미국의 대학이 사용하는 연구비는 일본의 대학이 사용하는 연구비의 약 두 배이다.

Ⅰ20~21Ⅰ 다음 두 자료는 일제강점기 중 1930~1936년 소작쟁의 현황에 관한 자료이다. 두 표를 보고 물음에 답하시오.

〈표1〉 소작쟁의 참여인원

(단위 : 명)

구분 \ 연도	1930	1931	1932	1933	1934	1935	1936
지주	860	1,045	359	1,693	6,090	22,842	29,673
마름	0	0	0	586	1,767	3,958	3,262
소작인	12,151	9,237	4,327	8,058	14,597	32,219	39,518
전체	13,011	10,282	4,686	10,337	22,454	59,019	72,453

〈표2〉 지역별 소작쟁의 발생건수

(단위 : 건)

지역 \ 연도	1930	1931	1932	1933	1934	1935	1936
강원도	4	1	6	4	92	734	2,677
경기도	95	54	24	119	321	1,873	1,299
경상도	230	92	59	300	1,182	5,633	7,040
전라도	240	224	110	1,263	5,022	11,065	7,712
충청도	139	315	92	232	678	3,714	8,136
평안도	5	1	0	16	68	1,311	1,733
함경도	0	0	0	2	3	263	404
황해도	13	10	14	41	178	1,241	947
전국	726	697	305	1,977	7,544	25,834	29,948

20. 위의 두 표에 관한 설명으로 옳지 않은 것은?

① 1932년부터 지주의 소작쟁의 참여인원은 매년 증가하고 있다.
② 전국 소작쟁의 발생건수에서 강원도 소작쟁의 발생건수가 차지하는 비중은 1933년보다 1934년에 증가했다.
③ 충청도의 1936년 소작쟁의 발생건수는 전년도의 두 배 이상이다.
④ 1930년에 비해 1931년에 소작쟁의 발생건수가 증가한 지역은 없다.

21. 위의 두 표에서 전국 소작쟁의 발생 건당 참여인원이 가장 많은 해는?

① 1930년　② 1933년
③ 1934년　④ 1935년

22. 다음 〈표〉는 콩 교역에 관한 자료이다. 이 자료에 대한 설명으로 옳지 않은 것은?

(단위 : 만 톤)

순위	수출국	수출량	수입국	수입량
1	미국	3,102	중국	1,819
2	브라질	1,989	네덜란드	544
3	아르헨티나	871	일본	517
4	파라과이	173	독일	452
5	네덜란드	156	멕시코	418
6	캐나다	87	스페인	310
7	중국	27	대만	169
8	인도	24	벨기에	152
9	우루과이	18	한국	151
10	볼리비아	12	이탈리아	144

① 이탈리아 수입량은 볼리비아 수출량의 12배이다.
② 수출량과 수입량 모두 상위 10위에 들어있는 국가는 네덜란드뿐이다.
③ 캐나다의 콩 수출량은 중국, 인도, 우루과이, 볼리비아 수출량을 합친 것보다 많다.
④ 수출국 1위와 10위의 수출량은 약 250배 이상 차이난다.

23. 다음 표는 우리나라의 기대수명과 고혈압 및 당뇨 유병률, 비만율에 대한 표이다. 이에 대한 설명으로 옳은 것은?

(단위 : 세, %)

	2014	2015	2016	2017	2018	2019	2020
기대수명	79.6	80.1	80.5	80.8	81.2	81.4	81.9
고혈압 유병률	24.6	26.3	26.4	26.9	28.5	29	27.3
당뇨 유병률	9.6	9.7	9.6	9.7	9.8	9	11
비만율	31.7	30.7	31.3	30.9	31.4	32.4	31.8

① 고혈압 유병률과 당뇨 유병률은 해마다 증가하고 있다.
② 고혈압 유병률의 변동은 2018년에 가장 크게 나타났다.
③ 당뇨 유병률의 변동은 1% 이상 나타나지 않는다.
④ 비만율의 증감은 증가 또는 감소와 같이 일정한 방향성이 없다.

24. 도표는 국민 1,000명을 대상으로 준법 의식 실태를 조사한 결과이다. 이에 대한 분석으로 가장 타당한 것은?

• 설문 1 : "우리나라에서는 법을 위반해도 돈과 권력이 있는 사람은 처벌받지 않는 경향이 있다."라는 주장에 동의합니까?

(단위 : %)

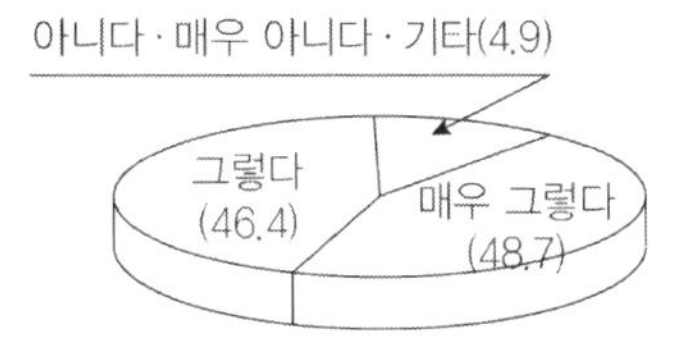

• 설문 2 : 우리나라에서 분쟁의 해결 수단으로 가장 많이 사용되는 것은 무엇이라 생각합니까?

(단위 : %)

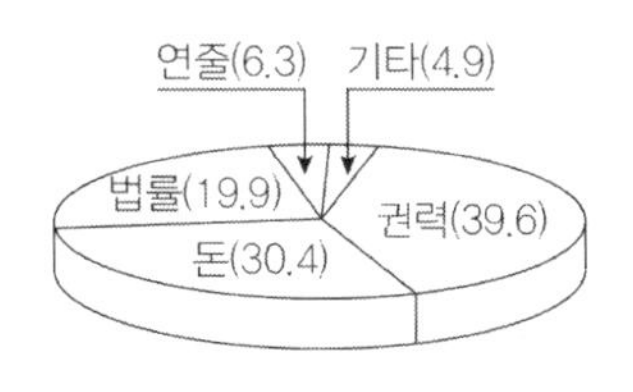

① 전반적으로 준법 의식이 높은 편이다.
② 권력보다는 법이 우선한다고 생각한다.
③ 법이 공정하게 집행되지 않는다고 본다.
④ 악법도 법이라는 사고가 널리 퍼져 있다.

25. 다음 중 제시된 도형과 같은 도형을 찾으시오.

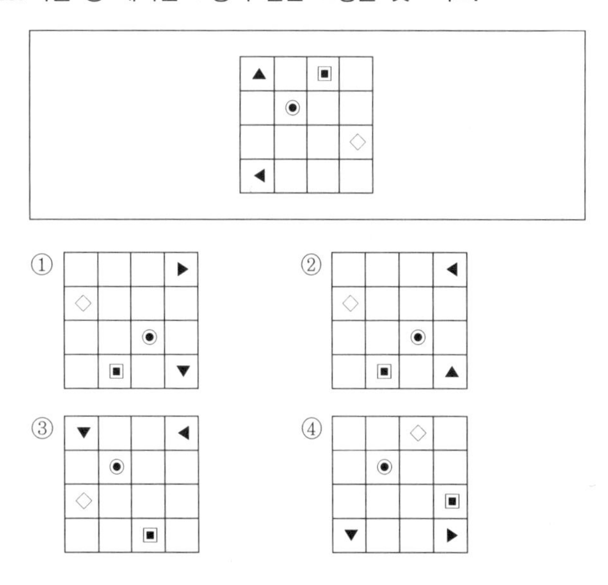

26. 다음 제시된 세 개의 단면을 참고하여 해당되는 입체도형을 고르시오.

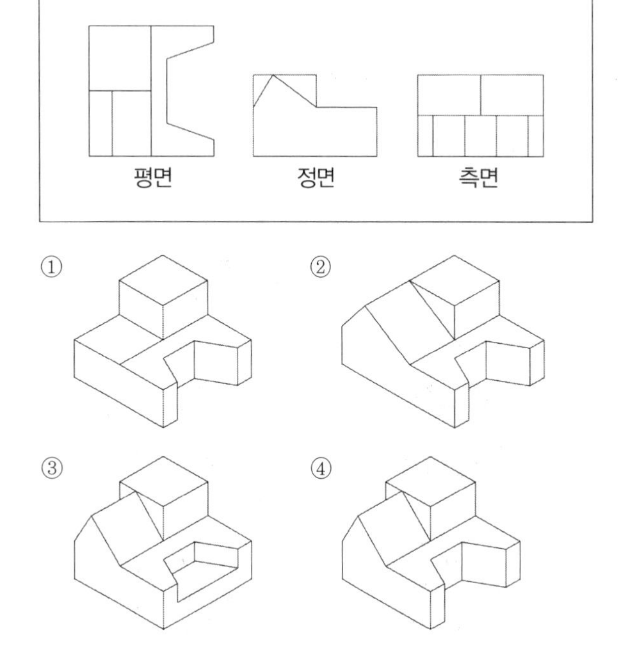

27. 다음과 같이 종이를 접은 후 구멍을 뚫고 펼친 뒤의 그림으로 옳은 것을 고르시오.

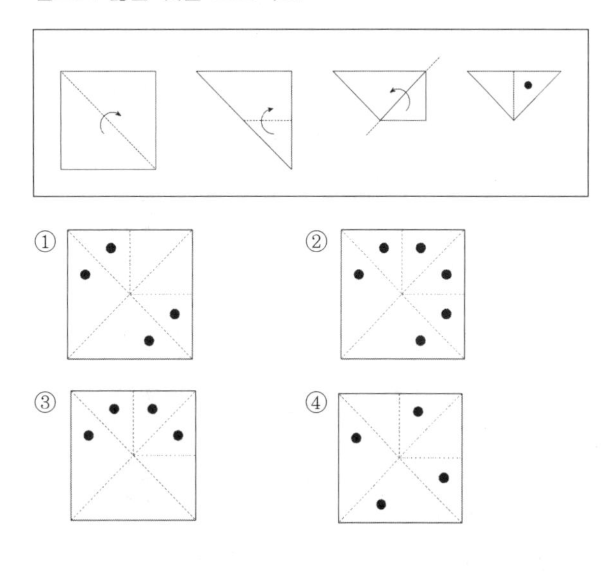

28. 다음 제시된 전개도로 만들 수 있는 주사위로 적절한 것을 고르시오.

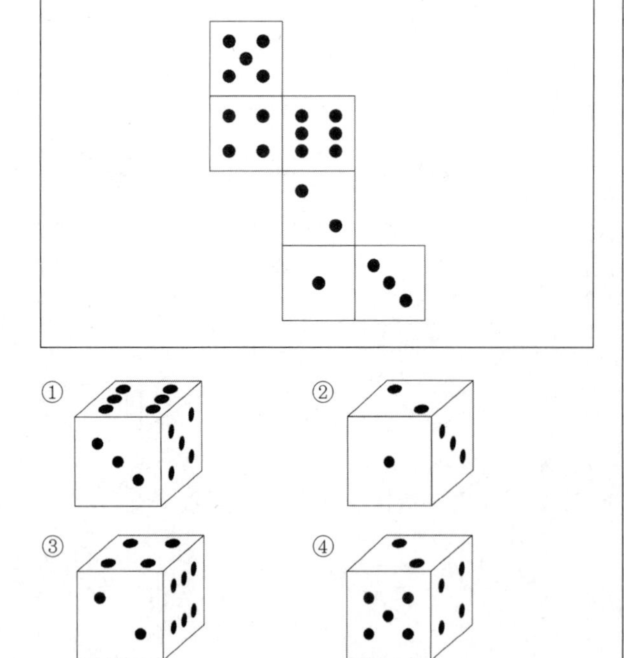

29. 다음 제시된 〈보기〉의 블록이 도형 A, B, C를 조합하여 만들어질 때, 도형 C에 해당하는 것을 고르시오.

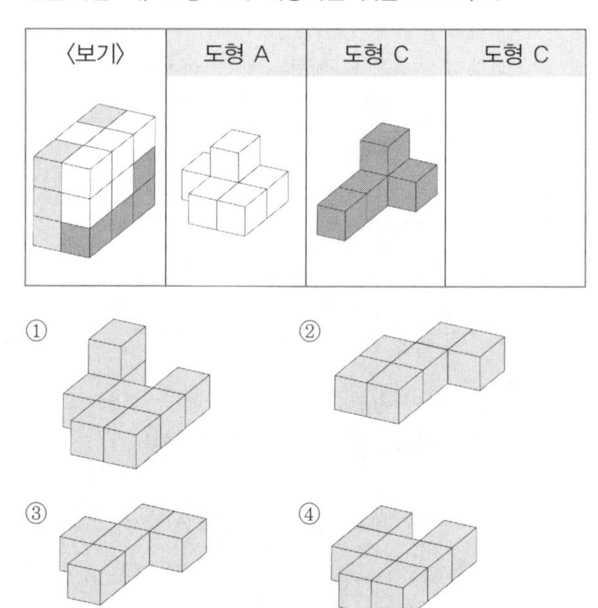

❙ 30~31 ❙ 다음에 나열된 숫자의 규칙을 찾아 빈칸에 들어가기 적절한 수를 고르시오.

30.

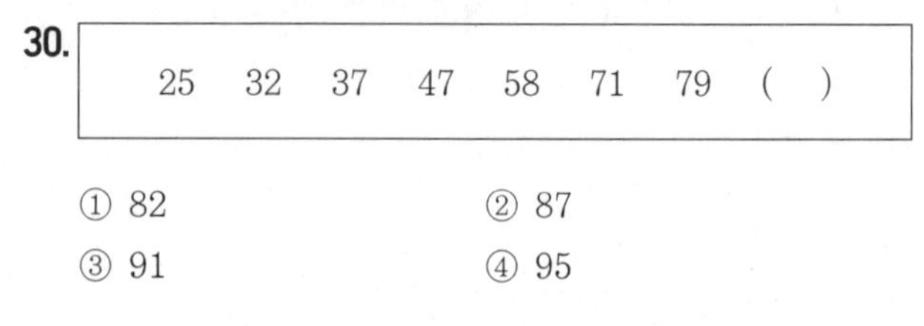

① 82　② 87
③ 91　④ 95

31.

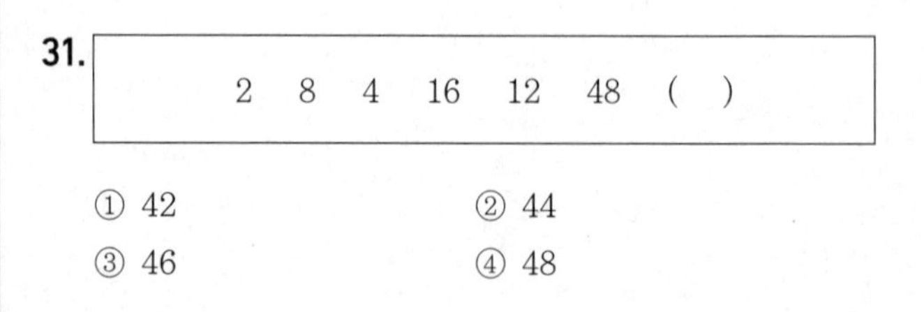

① 42　② 44
③ 46　④ 48

32. 다음의 빈칸에 들어갈 알맞은 수를 고르시오.

5&8=8	6&7=6	4&4=32	3&9=(　)

① 15　② 17
③ 19　④ 21

| 33~34 | **다음의 일정한 규칙에 의해 배열된 수나 문자를 추리하여 (　) 안에 알맞은 것을 고르시오.**

33.

C－F－L－U－(　)

① B　② D
③ G　④ I

34. 다음의 일정한 규칙에 의해 배열된 수나 문자를 추리하여 (　) 안에 알맞은 것을 고르시오.

ㄱ－ㅋ－ㅈ－ㅅ－ㅁ－(　)

① ㄴ　② ㄷ
③ ㅂ　④ ㅇ

35. 다음의 빈칸에 들어갈 알맞은 수를 고르시오.

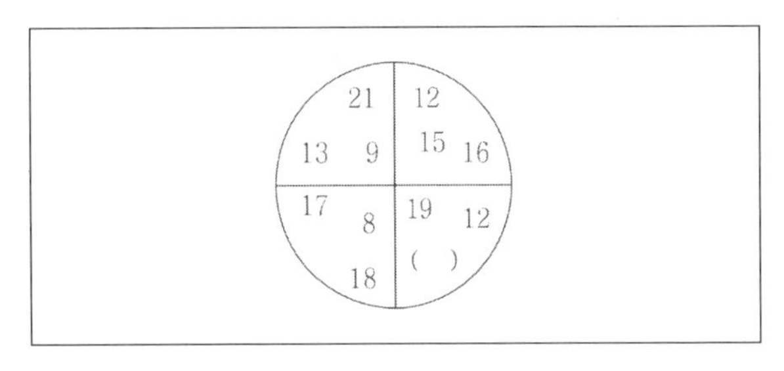

① 10　② 11
③ 12　④ 13

36. 다음 도형들의 일정한 규칙을 찾아 ? 표시된 부분에 들어갈 도형을 고르시오.

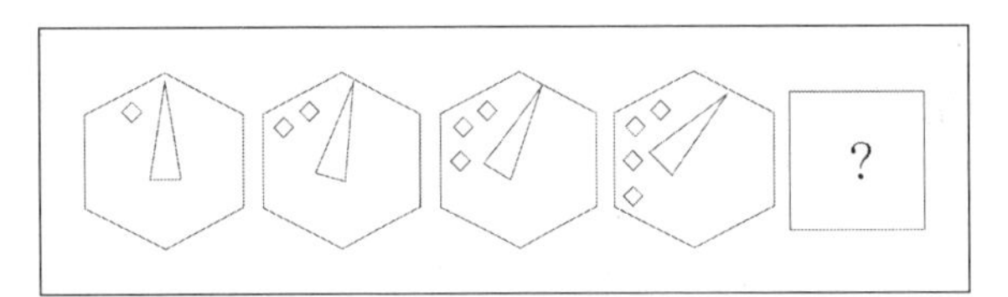

①

②
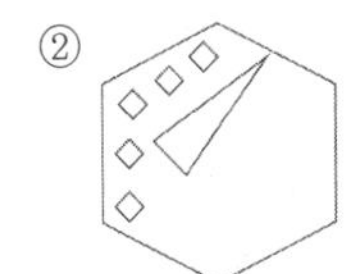

③
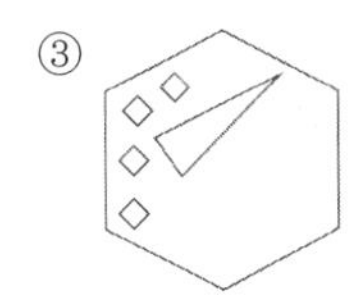

④
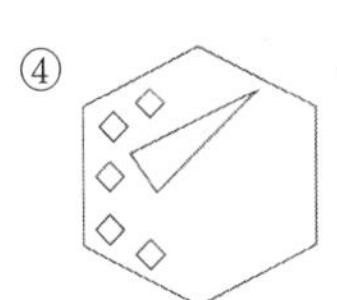

| 37~38 | 다음의 말이 참일 때 항상 참인 것을 고르시오.

37.

> • 비가 오는 날은 복도가 더럽다.
> • 복도가 더러우면 운동장이 조용하다.
> • 운동장이 조용한 날은 축구부의 훈련이 없다.
> • 오늘은 운동장이 조용하지 않다.

① 어제는 비가 오지 않았다.
② 오늘은 복도가 더럽지 않다.
③ 오늘은 오후에 비가 올 예정이다.
④ 오늘은 축구부의 훈련이 없다.

38.

> • 영수는 철수보다 키가 크다.
> • 수현이는 지현이보다 키가 크다.
> • 준희는 준수보다 키가 작다.
> • 준희는 수현이와 키가 같다.

① 영수는 준희와 키가 같다.
② 준수는 지현이보다 키가 크다.
③ 철수는 준희보다 키가 작다.
④ 준수와 수현이의 키는 비교할 수 없다.

39. 다음에 제시된 전제에 따라 결론을 바르게 추론한 것을 고르시오.

> • 장미를 좋아하는 사람은 감성적이다.
> • 튤립을 좋아하는 사람은 노란색을 좋아하지 않는다.
> • 감성적인 사람은 노란색을 좋아한다.
> • 그러므로 ______________________

① 감성적인 사람은 튤립을 좋아한다.
② 튤립을 좋아하는 사람은 감성적이다.
③ 노란색을 좋아하는 사람은 감성적이다.
④ 장미를 좋아하는 사람은 노란색을 좋아한다.

40. 주어진 결론을 반드시 참으로 하는 전제를 고르시오.

> 전제1 : 뱀은 단 사과만을 좋아한다.
> 전제2 : ______________
> 결론 : 뱀은 작은 사과를 좋아하지 않는다.

① 작은 사과는 달지 않다.
② 작지 않은 사과는 달다.
③ 어떤 뱀은 큰 사과를 좋아하지 않는다.
④ 작지 않은 사과는 달지 않다.

【41~42】 다음 보기를 참고하여 제시된 단어를 바르게 표기한 것을 고르시오.

a = 소	b = 전	c = 원	d = 결
e = 망	f = 명	g = 리	h = 해
i = 개	j = 성	k = 설	l = 특

41.

망 명 소 원 해 성

① e f a c h j
② e a f c h j
③ e f c a h j
④ e c f a h j

42.

원 성 특 전 해 결

① c j l b h d
② c l j b h d
③ c j l h b d
④ c j l b d h

43. 다음 중 같은 원리로 사용되어지는 도구를 사용한 사람을 올바르게 짝지은 것은?

- 민식이는 장도리 뒤에 달린 클로(Claw)를 이용하여 벽에 박힌 못을 뽑았다.
- 가희는 고정 도르래가 달린 국기개양대의 태극기를 높이 올려 달았다.
- 미진이는 가위를 이용해서 두꺼운 종이를 잘랐다.
- 벽에 액자를 다는 데 수진이는 그냥 못을, 재정이는 나사못을 사용했다.

① 민식, 가희
② 민식, 미진
③ 가희, 미진
④ 미진, 수진

44. 물이 들어 있는 유리컵에 젓가락을 넣었을 때, 꺾여 보이게 하는 빛의 성질은?

① 직진
② 굴절
③ 반사
④ 분산

45. 다음 설명에 해당하는 식물의 기관은?

> • 기공이 있다.
> • 증산작용이 일어난다.
> • 빛을 받아 포도당(녹말)을 만든다.

① 잎
② 꽃
③ 뿌리
④ 열매

SEOWONGAK

울산광역시교육청 교육공무직원

제2회 소양평가 모의고사

성명		생년월일	
문제 수(배점)	45문항	풀이시간	/ 50분
영역	직무능력검사		
비고	객관식 4지선다형		

※ 유의사항 ※

- 문제지 및 답안지의 해당란에 문제유형, 성명, 응시번호를 정확히 기재하세요.
- 모든 기재 및 표기사항은 "컴퓨터용 흑색 수성 사인펜"만 사용합니다.
- 예비 마킹은 중복 답안으로 판독될 수 있습니다.

제 2 회 울산광역시교육청 교육공무직원 모의고사

정답해설
p.7

각 문제에서 가장 적절한 답을 하나만 고르시오.

1. 다음 제시된 단어와 의미가 유사한 단어를 고르시오

돈재

① 경향
② 운집
③ 진보
④ 기지

2. 다음 제시된 단어와 의미가 상반된 단어를 고르시오.

경각

① 오래
② 호외
③ 실각
④ 경질

3. 다음 제시된 단어의 의미로 옳은 것을 고르시오.

용동되다

① 두렵거나 놀라서 몸이 솟구쳐 뛰듯 움직이게 되다.
② 쓸데없는 일에 바쁘다.
③ 매우 안타깝거나 추워서 발을 가볍게 자꾸 구르다.
④ 별로 힘들이지 않고 계속 가볍게 행동하다.

4. 다음 중 제시된 문장의 밑줄 친 어휘와 같은 의미로 사용된 것을 고르시오.

장작을 한아름 <u>지고</u> 와서는 뭘 하는지 한참을 뚝딱거렸다.

① 손에는 들고 등에는 <u>지고</u> 힘차게 걷는다.
② 해가 <u>지고</u> 나면 어머니는 꼭 문을 열어 두었다.
③ 둘이서 싸우면 이상하게 항상 미주가 <u>지는</u> 꼴이다.
④ 강둑에 앉아 노을이 <u>지는</u> 걸 말없이 바라보았다.

5. 다음 제시어 중 서로 관련 있는 세 개의 단어를 찾아 연상되는 것을 고르시오.

수성사인펜, 축제, 영어, 가을, 달리기, 풍경화, 시계, 만국기, 경주

① 운동회
② 불국사
③ 수능
④ 사생대회

6. 다음에 제시된 글을 흐름이 자연스럽도록 순서대로 배열하시오.

> 우리에게 친숙한 동물들의 사소한 행동을 살펴보면 그들이 자신의 환경을 개조한다는 것을 알 수 있다.
> ㉠ 이처럼 동물들은 자신의 목적을 위해 행동함으로써 환경을 변형시킨다.
> ㉡ 가장 단순한 생명체는 먹이가 그들에게 헤엄쳐 오게 만들고, 고등동물은 먹이를 구하기 위해 땅을 파거나 포획 대상을 추적하기도 한다.
> ㉢ 그러나 이러한 설명은 생명체들이 그들의 환경 개변(改變)에 능동적으로 행동한다는 중요한 사실을 놓치고 있다.
> ㉣ 이러한 생존 방식을 흔히 환경에 적응하는 것으로 설명한다.

① ㉠-㉡-㉢-㉣
② ㉡-㉣-㉠-㉢
③ ㉡-㉠-㉣-㉢
④ ㉢-㉠-㉡-㉣

7. 다음 중 주어진 글의 빈칸에 들어갈 문장으로 가장 적절한 것을 고르시오.

> 요즘 들어 사람들은 건강에 대한 많은 관심을 보이고 있다. 특히 운동을 통한 건강 유지에 대한 관심이 각별하다고 할 수 있다. 부지런히 뛰고 땀을 흠뻑 흘린 뒤에 느끼는 개운함을 좋아한다. 그렇지만 무조건 신체를 움직인다고 해서 다 운동이 되는 것은 아니다. 무리하게 움직이면 오히려 역효과를 가져온다. 그러므로 (   ) 자신의 체력에 비추어 신체 기능을 충분히 자극할 수는 있어야 하지만 부담이 지나치지 않게 해야 한다. 운동의 시간과 빈도는 개인의 생활양식에 의해 많은 영향을 받게 되지만, 일반적으로는 일주일에 한 번씩 오랜 운동 시간을 하는 것보다는 운동 시간이 짧더라도 빈도를 높여서 규칙적으로 움직이는 것이 운동의 효과를 높이는 데 효과적이다. 가장 바람직한 것은 매일 일정량의 운동을 실천하여 운동을 하나의 생활 습관으로 정착시키는 것이다.

① 땀을 많이 흘릴 수 있는 운동 위주의 프로그램을 찾아야 한다.
② 일주일에 2회 이상 강도 높은 운동을 통해 신체 기관을 단련해야 한다.
③ 운동의 강도를 결정할 때는 자신의 신체 조건을 우선적으로 고려해야 한다.
④ 짧은 시간 안에 강도 높은 운동을 반복하는 하는 것이 최선의 방법이다.

8. 다음 글을 읽고 알 수 있는 내용이 아닌 것은?

> WTO 설립협정은 GATT 체제에서 관행으로 유지되었던 의사결정 방식인 총의 제도를 명문화하였다. 동 협정은 의사결정 회의에 참석한 회원국 중 어느 회원국도 공식적으로 반대하지 않는 한, 검토를 위해 제출된 사항은 총의에 의해 결정되었다고 규정하고 있다. 또한 이에 따르면 회원국이 의사결정 회의에 불참하더라도 그 불참은 반대가 아닌 찬성으로 간주된다.
> 총의 제도는 회원국 간 정치 · 경제적 영향력의 차이를 보완하기 위하여 도입되었다. 그러나 회원국 수가 확대되고 이해관계가 첨예화되면서 현실적으로 총의가 이루어지기 쉽지 않았다. 이로 인해 WTO 체제 내에서 모든 회원국이 참여하는 새로운 무역협정이 체결되는 것이 어려웠고 결과적으로 무역자유화 촉진 및 확산이 저해되고 있다. 이러한 문제의 해결 방안으로 '부속서 4 복수국간 무역협정 방식'과 '임계질량 복수국간 무역협정 방식'이 모색되었다.

① GATT에서 총의 제도를 이용한 의사결정 방식을 사용하였다.
② WTO의 기존 의사결정 제도를 보완하기 위한 방안을 찾고 있다.
③ WTO에서 회원국이 회의에 불참하는 것은 찬성을 의미한다.
④ 총의 제도는 회원국 간 정치적 영향력 격차를 벌어지게 만든다.

9. 다음 글을 읽고 얻을 수 있는 결론은?

> 유대교 신비주의 하시디즘에는 이런 우화가 전해진다. 사람이 죽으면 그 영혼은 천국의 문 앞에 있는 커다란 나무 앞으로 가게 된다. '슬픔의 나무'라고 불리는 그 나무에는 사람들이 삶에서 겪은 온갖 슬픈 이야기들이 가지마다 매달려 있다. 이제 막 그곳에 도착한 영혼은 그곳에 적혀 있는 다른 사람들의 이야기를 읽는다. 마지막에 이르러 천사는 그 영혼에게 이야기들 중 어떤 것을 선택해서 다음 생을 살고 싶은가를 묻는다. 자신이 보기에 가장 덜 슬퍼 보이는 삶을 선택하면, 다음 생에 그렇게 살게 해주겠다는 것이다. 하지만 어떤 영혼이든 결국에는 자신이 살았던 삶을 다시 선택하게 된다고 우화는 말한다.

① 남의 이야기는 늘 슬프게 느껴진다.
② 자기 삶에 대해 후회하게 마련이다.
③ 자신의 현실을 긍정하는 것이 필요하다.
④ 남의 삶과 자신의 삶을 비교하는 것은 어리석다.

10. 다음 보기 중 어법에 맞는 문장은?

① 시간 내에 역에 도착하려면 <u>가능한</u> 빨리 달려야 합니다.
② 그다지 효과적이지 <u>않는</u> 비판이 계속 이어지면서 회의 분위기는 급격히 안 좋아졌다.
③ 그는 <u>그들에</u> 뒤지지 않기 위해 끊임없는 노력을 계속하였다.
④ 부서원 대부분은 주말 근무 시간을 <u>늘리는</u> 것에 매우 부정적입니다.

11. 밑줄 친 단어의 맞춤법이 옳은 것은?

① 그대와의 추억이 있으매 저는 행복하게 살아갑니다.
② 신제품을 선뵀어도 매출에는 큰 영향이 없을 거예요.
③ 생각지 못한 일이 자꾸 생기니 그때의 상황이 참 야속터군요.
④ 그 발가숭이 몸뚱이가 위로 번쩍 쳐들렸다가 물속에 텀벙 쳐박히는 순간이었습니다.

12. 외래어 표기가 모두 옳은 것은?

① 뷔페 – 초콜렛 – 컬러
② 컨셉 – 서비스 – 윈도
③ 파이팅 – 악세사리 – 리더십
④ 플래카드 – 로봇 – 캐럴

13. 다음 글의 제목으로 가장 적절한 것을 고르시오.

> 새로운 지식의 발견은 한 학문 분과 안에서만 영향을 끼치지 않는다. 가령 뇌 과학의 발전은 버츄얼 리얼리티라는 새로운 현상을 가능하게 하고 이것은 다시 영상공학의 발전으로 이어진다. 이것은 새로운 인지론의 발전을 촉발시키는 한편 다른 쪽에서는 신경경제학, 새로운 마케팅 기법의 발견 등으로 이어진다. 이것은 다시 새로운 윤리적 관심사를 촉발하며 이에 따라 법학적 논의도 이루어지게 된다. 다른 쪽에서는 이러한 새로운 현상을 관찰하며 새로운 문학, 예술 형식이 발견되고 콘텐츠가 생성된다. 이와 같이 한 분야에서의 지식의 발견과 축적은 계속적으로 마치 도미노 현상처럼 인접 분야에 영향을 끼칠 뿐 아니라 예측하기 어려운 방식으로 환류한다. 이질적 학문에서 창출된 지식들이 융합을 통해 기존 학문은 변혁되고 새로운 학문이 출현하며 또다시 이것은 기존 학문의 발전을 이끌어내고 있는 것이다.

① 학문의 복잡성
② 이질적 학문의 상관관계
③ 지식의 상호 의존성
④ 신지식 창출의 형태와 변화 과정

14. 태현이는 자전거를 타고 운동장을 한 바퀴 돌면서 절반까지는 시속 15km로 달리다가, 힘이 빠지면서 나머지 절반은 시속 10km로 달렸다. 이 때 걸린 시간이 25분이라고 할 때, 운동장 한 바퀴는 몇 km인가?

① 3km ② 4km
③ 4.5km ④ 5km

15. 수레 A와 B에는 각각 백과사전과 국어사전이 같은 개수만큼 실려 있다. 백과사전과 국어사전 무게의 비는 3 : 2이다. 백과사전을 실은 수레가 너무 무거워서 백과사전 10권을 수레 B로 옮겼더니 두 수레에 실린 책의 무게가 같아졌을 때, 처음 수레에 실려 있던 백과사전은 총 몇 권인가?

① 50권 ② 55권
③ 60권 ④ 65권

16. 서원이는 소금물 A 100g과 소금물 B 300g을 섞어 15%의 소금물을 만들려고 했는데 실수로 두 소금물 A와 B의 양을 반대로 섞어 35%의 소금물을 만들었다. 두 소금물 A, B의 농도는 각각 얼마인가?

① A : 30%, B : 10%
② A : 35%, B : 5%
③ A : 40%, B : 10%
④ A : 45%, B : 5%

17. 어떤 일을 할 때 A가 3일 동안 하고 남은 일을 A와 B 두 사람이 함께 하면 5일 만에 끝이 난다. 같은 일을 B가 2일 동안 하고 남은 일을 A와 B 두 사람이 함께 하면 4일 만에 끝이 난다. B가 이 일을 혼자 한다면 며칠이 걸리겠는가?

① 5일　② 6일
③ 7일　④ 8일

18. 가로의 길이가 48m이고, 세로의 길이가 60m인 직사각형 모양의 꽃밭의 둘레를 따라서 일정한 간격으로 말뚝을 박아 울타리를 만들려고 한다. 말뚝사이의 간격은 10m를 넘지 않게 하고 울타리의 네 귀퉁이에는 반드시 말뚝을 박으려고 할 때 필요한 말뚝의 최소 개수는?

① 32　② 34
③ 36　④ 38

19. 다음은 '갑' 지역의 연도별 65세 기준 인구의 분포를 나타낸 자료이다. 이에 대한 올바른 해석은 어느 것인가?

구분	인구 수(명)		
	계	65세 미만	65세 이상
2014년	66,557	51,919	14,638
2015년	68,270	53,281	14,989
2016년	150,437	135,130	15,307
2017년	243,023	227,639	15,384
2018년	325,244	310,175	15,069
2019년	465,354	450,293	15,061
2020년	573,176	557,906	15,270
2021년	659,619	644,247	15,372

① 65세 미만 인구수는 조금씩 감소하였다.
② 2021년 인구수가 2014년에 비해 약 10배로 증가한 데에는 65세 미만 인구수의 영향이 크다.
③ 65세 이상 인구수는 매년 지속적으로 증가하였다.
④ 65세 이상 인구수는 매년 전체의 5% 이상이다.

20. 다음 그림에 대한 설명으로 가장 옳은 것은?

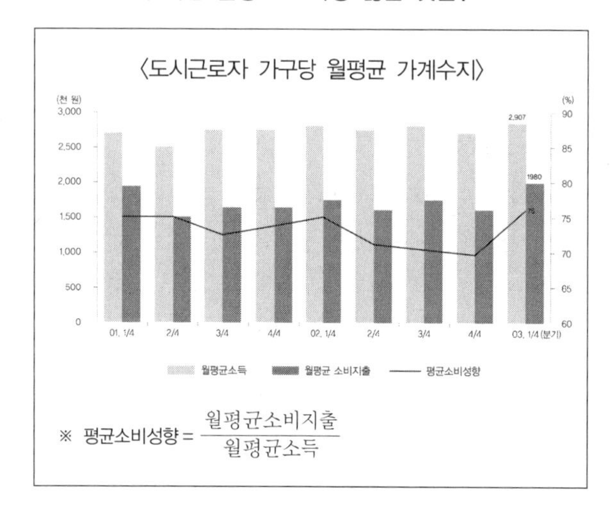

① 소득이 증가할수록 소비지출도 소득에 비례하여 증가하였다.
② 월평균 소득과 평균소비성향은 서로 반비례적인 관계를 보인다.
③ 우리나라 도시 근로자 가구는 대개 소득의 75 ~ 80% 정도를 지출하고 있다.
④ 매년 1/4분기에는 동일 연도 다른 분기에 비해 소득에서 더 많은 부분을 소비하였다.

21. 다음과 같은 자료를 활용하여 작성할 수 있는 하위 자료로 적절하지 않은 것은 어느 것인가?

(단위 : 천 가구, 천 명, %)

구분		2017	2018	2019	2020	2021
농가		1,142	1,121	1,089	1,068	1,042
	농가 비율(%)	6.2	6.0	5.7	5.5	5.3
농가 인구		2,847	2,752	2,569	2,496	2,422
	남자	1,387	1,340	1,265	1,222	1,184
	여자	1,461	1,412	1,305	1,275	1,238
	성비	94.9	94.9	96.9	95.9	95.7
	농가인구 비율(%)	5.6	5.4	5.0	4.9	4.7

* 농가 비율과 농가인구 비율은 총 가구 및 총인구에 대한 농가 및 농가인구의 비율임

① 2017년~2021년 기간의 연 평균 농가의 수
② 연도별 농가당 성인 농가인구의 수
③ 총인구 대비 남성과 여성의 농가인구 구성비
④ 연도별, 성별 농가인구 증감 수

┃22~23┃ 다음 표는 정책대상자 294명과 전문가 33명을 대상으로 정책과제에 대한 정책만족도를 조사한 자료이다. 물음에 답하시오.

〈표 1〉 정책대상자의 항목별 정책만족도

(단위 : %)

항목 \ 만족도	매우 만족	약간 만족	보통	약간 불만족	매우 불만족
의견수렴도	4.8	28.2	34.0	26.9	6.1
적절성	7.8	44.9	26.9	17.3	3.1
효과성	6.5	31.6	32.7	24.1	5.1
체감만족도	3.1	27.9	37.4	26.5	5.1

〈표 2〉 전문가의 항목별 정책만족도

(단위 : %)

항목 \ 만족도	매우 만족	약간 만족	보통	약간 불만족	매우 불만족
의견수렴도	3.0	24.2	30.3	36.4	6.1
적절성	3.0	60.6	21.2	15.2	–
효과성	3.0	30.3	30.3	36.4	–
체감만족도	–	30.3	33.3	33.3	3.0

※ 만족비율 = '매우 만족' 비율 + '약간 만족' 비율
※ 불만족비율 = '매우 불만족' 비율 + '약간 불만족' 비율

22. 다음 중 위 자료에 근거한 설명으로 옳은 것은?

① 정책대상자의 정책만족도를 조사한 결과, 만족비율은 불만족 비율보다 약간 낮은 수준이다.
② 효과성 항목에서 '약간 불만족'으로 응답한 전문가 수는 '매우 불만족'으로 응답한 정책대상자 수보다 많다.
③ 체감만족도 항목에서 만족비율은 정책대상자가 전문가보다 낮다.
④ 적절성 항목이 타 항목에 비해 만족비율이 높다.

23. 정책대상자 중 의견수렴도 항목에 만족하는 사람의 비율은 몇 명인가? (단, 소수점 첫째자리에서 반올림한다)

① 97명 ② 99명
③ 100명 ④ 102명

24. 다음은 2019년과 2020년 환율표이다. 2019년 말 엔화 대비 원화 환율이 2020년 말에 어느 정도 변화하였는지 바르게 계산한 것은?

분류	원/달러			엔/달러	
	연말	절상률	기간평균	연말	절상률
2019년	1,200.5	10.52	1,255.24	120.01	10.85
2020년	1,198.5	0.25	1,200.89	108.05	10.81

① 1원 정도 하락 ② 변함없음
③ 1원 정도 상승 ④ 2원 정도 상승

25.

평면 정면 측면

①
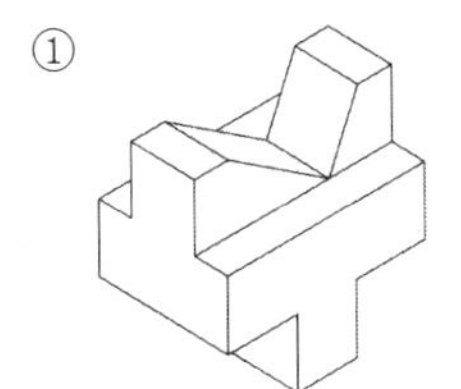
②
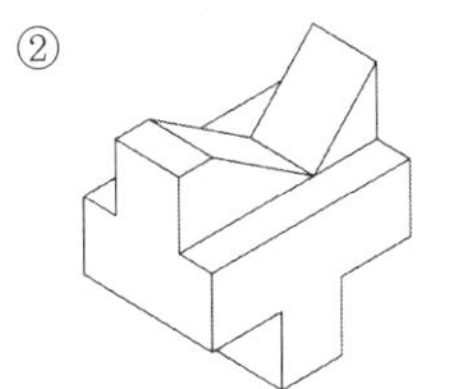
③
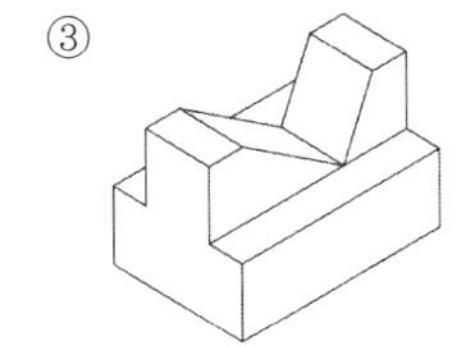
④
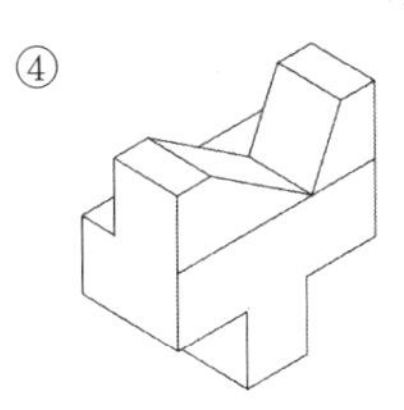

26. 다음 중 직육면체의 전개도가 다른 하나를 고르시오.

①
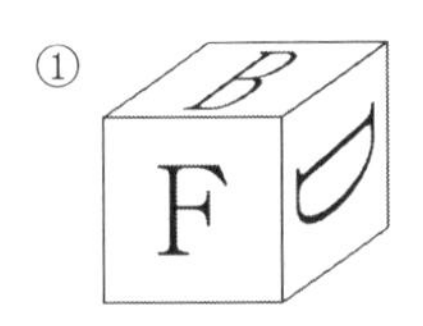

②
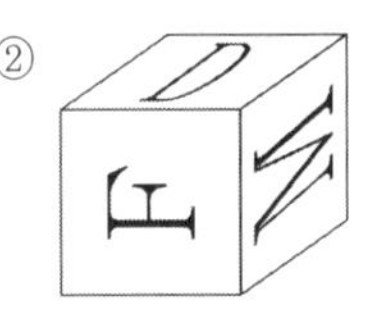

③
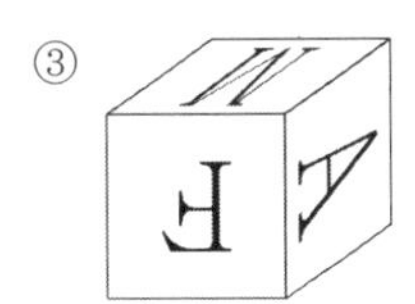

④
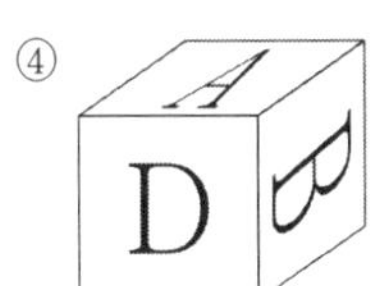

27. 다음과 같이 종이를 접은 후 구멍을 뚫고 펼친 뒤의 그림으로 옳은 것을 고르시오.

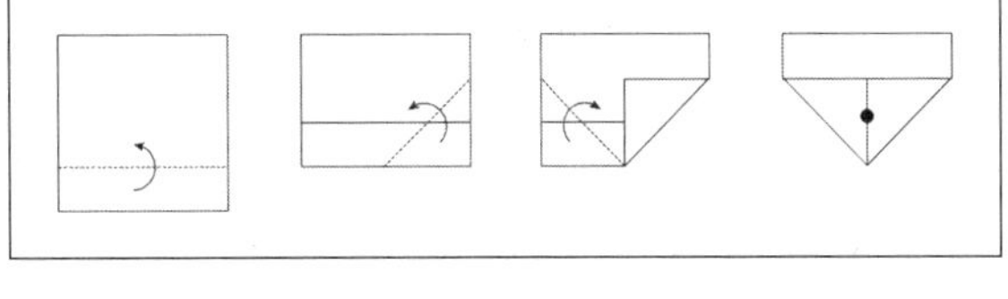

①
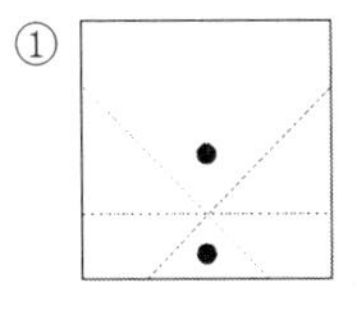
②
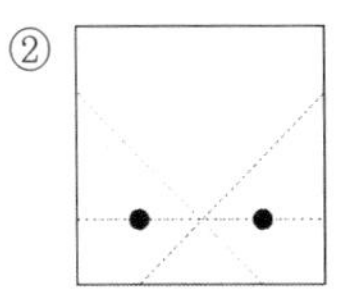
③
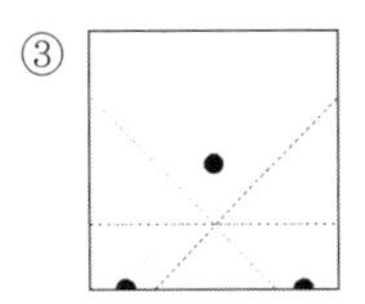
④
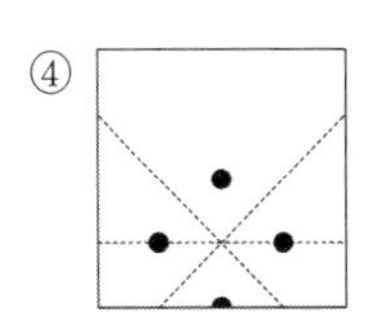

28. 다음 제시된 전개도로 만들 수 있는 주사위로 적절한 것을 고르시오.

①

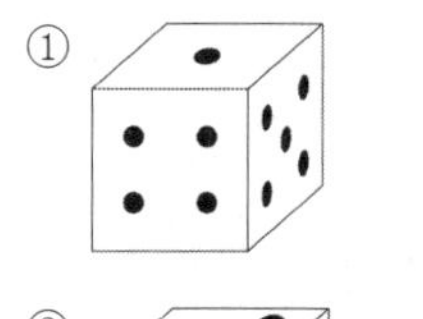

②

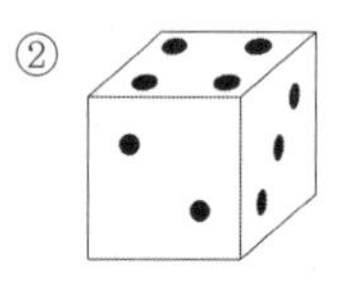

③

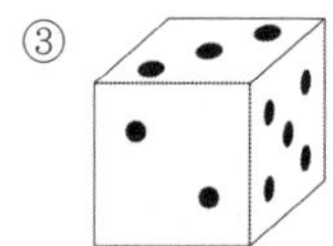

④

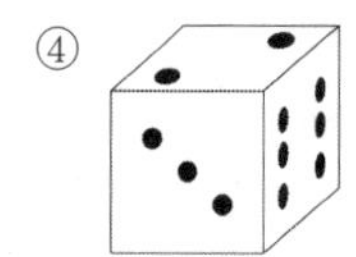

29. 다음 제시된 〈보기〉의 블록이 도형 A, B, C를 조합하여 만들어질 때, 도형 C에 해당하는 것을 고르시오.

〈보기〉	도형 A	도형 B	도형 C

①

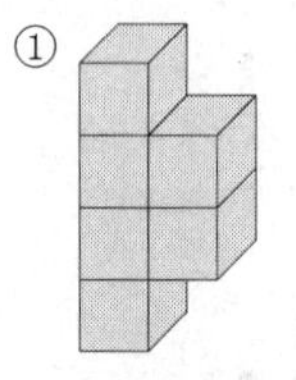

②

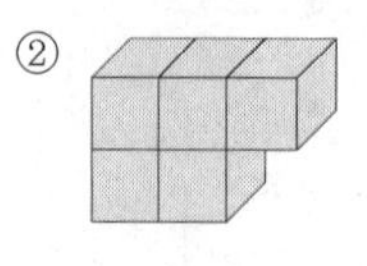

③

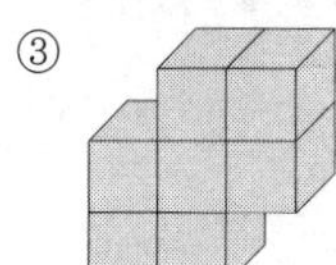

④

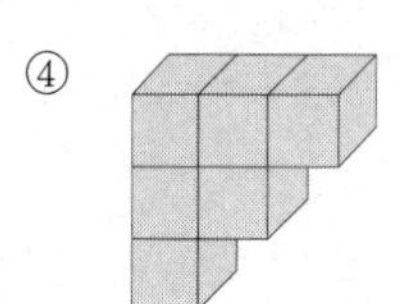

| 30~32 | 다음에 나열된 숫자의 규칙을 찾아 빈칸에 들어가기 적절한 수를 고르시오.

30.

78 86 92 94 98 106 ( )

① 110 ② 112
③ 114 ④ 116

31.

3 9 12 36 39 ( ) 120 360

① 118 ② 117
③ 116 ④ 115

32.

20 10 3 30 5 7 40 5 ( )

① 8 ② 9
③ 10 ④ 11

33. 다음의 빈칸에 들어갈 알맞은 수를 고르시오.

13@11=1	22@25=8
15@32=4	(19@21)@15=( )

① 6 ② 5
③ 4 ④ 3

34. 다음의 일정한 규칙에 의해 배열된 수나 문자를 추리하여 (　) 안에 알맞은 것을 고르시오.

ㄱ－ㄷ－ㅂ－ㅋ－ㄹ－(　)

① ㄱ　　② ㄷ
③ ㅂ　　④ ㅋ

35. 다음의 빈칸에 들어갈 알맞은 수를 고르시오.

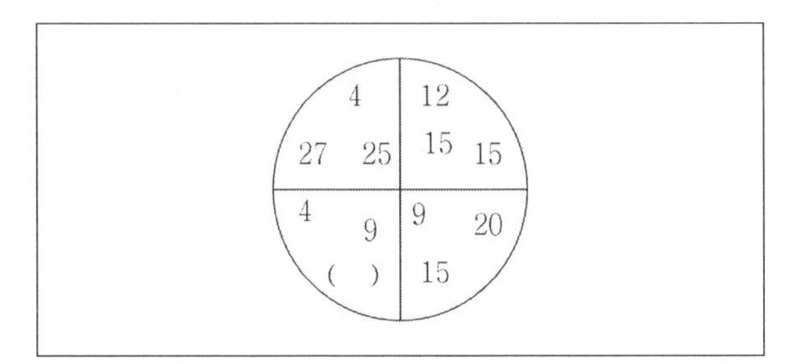

① 75　　② 25
③ 55　　④ 45

36. 다음 도형들의 일정한 규칙을 찾아 ? 표시된 부분에 들어갈 도형을 고르시오.

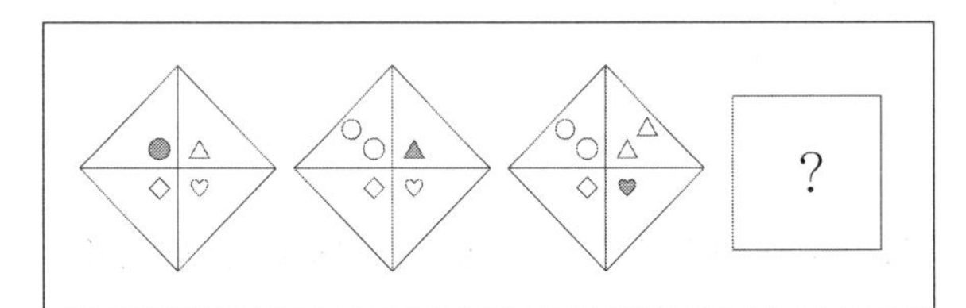

①
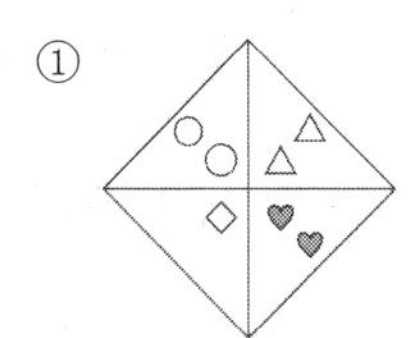

②
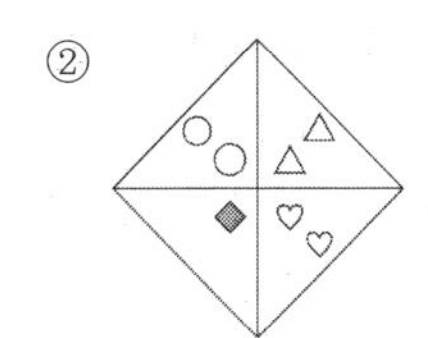

③
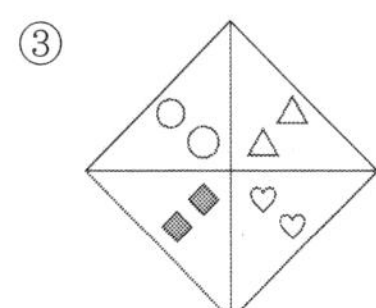

④
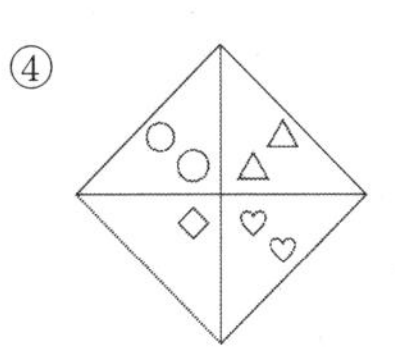

37. 다음의 말이 참일 때 항상 참인 것을 고르시오.

- 무리지어 움직이는 모든 동물은 공동 육아를 한다.
- 공동 육아를 하는 모든 동물은 역할분담을 한다.
- 돌고래는 무리지어 움직이는 동물이다.

① 돌고래는 공동 육아를 하는 동물이다.
② 공동 육아를 하는 동물 중에는 무리지어 움직이지 않는 동물도 있다.
③ 돌고래는 집단에서 별도의 역할을 부여받지 않는다.
④ 무리지어 움직이지 않는 돌고래도 있다.

38. 다음에 제시된 전제에 따라 결론을 바르게 추론한 것을 고르시오.

- 4마리 고양이 중 범이가 가장 까맣고 무겁다.
- 설기는 가장 어리고 가장 마른 고양이다.
- 둘째 고양이 율무는 애교가 많고 노는 걸 좋아한다.
- 도롱이는 나이는 제일 늙었지만 달리기를 제일 잘 한다.
- 그러므로 ________________

① 도롱이는 하얀 털을 가진 고양이다.
② 범이는 4마리 중 셋째 고양이다.
③ 설기는 태어난 지 두 달이 되지 않은 고양이다.
④ 율무는 4마리 중 유일한 수컷이다.

39. 주어진 결론을 반드시 참으로 하는 전제를 고르시오.

> 전제1 : ________________
> 전제2 : 어떤 사원은 탁월한 성과를 낸다.
> 결론 : 사전교육을 받은 어떤 사원은 탁월한 성과를 낸다.

① 모든 사원은 사전교육을 받는다.
② 어떤 사원은 사전교육을 받는다.
③ 모든 신입사원은 사전교육을 받는다.
④ 어떤 신입사원은 사전교육을 받는다.

40. 어느 기업의 부장진급시험에서 A, B, C, D, E, F, G 7명 중 2명만 부장으로 진급했다. 사원 1~4가 부장진급시험에 대해 알고 있는 정보를 다음과 같이 이야기하였다. 다음 중 확실히 부장으로 진급한 사람은?

> 사원 1 : A, B, C, D 중에서 1명밖에 진급하지 못했다더라.
> 사원 2 : B, G는 모두 떨어졌다던데?
> 사원 3 : E도 떨어졌데.
> 사원 4 : B, C, D 중 1명만 진급했고, E, F, G 중 1명만 진급했더라고.

① A
② C
③ D
④ F

| 41~42 | 다음 제시된 단어와 같은 단어의 개수를 모두 고르시오.

마음	마을	마물	마약	마술	마력	마귀	마하	마찰
마부	마을	마력	마늘	마당	마중	마부	마임	마음
마취	마감	마하	마찰	마간	마패	마지	마무	마파
마치	마비	마름	마다	마사	마루	마개	마감	마당
마루	마치	마비	마다	마감	마강	마상	마임	마귀
마지	마개	마하	마늘	마루	마을	마약	마술	마패

41.

> 마을 마주 마인 마전 마정

① 1개 ② 2개
③ 3개 ④ 4개

42.

> 마루 마개 마부 마제 마정

① 4개 ② 5개
③ 6개 ④ 7개

43. 다음 설명에서 A와 B에 들어갈 것으로 알맞은 것은?

> • 압력이 일정할 때 온도가 높아지면 기체의 부피는 (A) 한다.
> • 온도가 일정할 때 압력이 높아지면 기체의 부피는 (B) 한다.

	A	B		A	B
①	감소	감소	②	감소	증가
③	증가	감소	④	증가	증가

44. 다음 현상과 관련된 힘은?

> • 기계의 회전축에 윤활유를 바른다.
> • 눈길을 달릴 때 자동차 바퀴에 체인을 감는다.

① 자기력
② 탄성력
③ 마찰력
④ 전기력

45. 다음 보기 중 열의 이동방법이 같은 것을 고른 것은?

> ㉠ 가스렌지 위에 올려둔 냄비가 손잡이까지 뜨거워졌다.
> ㉡ 병원에서 적외선 온열 치료를 하니 허리가 따뜻해졌다.
> ㉢ 에어컨을 켜니 방 안이 시원해졌다.
> ㉣ 난로 앞에 앉아 있으니 얼굴이 뜨거워졌다.
> ㉤ 전자레인지로 음식을 데웠다.

① ㉠㉡㉢
② ㉡㉢㉤
③ ㉡㉣㉤
④ ㉢㉣㉤

SEOWONGAK

울산광역시교육청
교육공무직원

제3회 소양평가 모의고사

성명		생년월일	
문제 수(배점)	45문항	풀이시간	/ 50분
영역	직무능력검사		
비고	객관식 4지선다형		

＊ 유의사항 ＊

- 문제지 및 답안지의 해당란에 문제유형, 성명, 응시번호를 정확히 기재하세요.
- 모든 기재 및 표기사항은 "컴퓨터용 흑색 수성 사인펜"만 사용합니다.
- 예비 마킹은 중복 답안으로 판독될 수 있습니다.

정답해설 p.13

제 3 회 울산광역시교육청 교육공무직원 모의고사

각 문제에서 가장 적절한 답을 하나만 고르시오.

1. 다음에 제시된 단어와 의미가 상반된 단어는?

수탁

① 위탁
② 결탁
③ 유탁
④ 연탁

2. 다음에 제시된 단어와 비슷한 의미를 가진 단어는?

모순

① 역설
② 당착
③ 치기
④ 점철

3. 다음 중 제시된 단어가 나타내는 뜻을 모두 포괄할 수 있는 단어는?

연마하다/교체하다/일구다/경질하다

① 두다
② 헐다
③ 갈다
④ 닦다

4. 다음 중 맞춤법에 맞지 않는 것은?

① 그 사람은 너무 쩨쩨하다.
② 나는 아직 이 일에 익숙지 않아.
③ 오늘 저녁은 만둣국을 먹자.
④ 텔레비전에 내가 나왔으면 좋겠어.

5. 다음 밑줄 친 단어 중, 바르게 표기한 것은?

① 밥 먹은 그릇은 그때그때 <u>설겆이</u>해야 해.
② <u>몇 일</u>만 지나면 그가 돌아온다.
③ 내 간절한 <u>바램</u>이 이뤄졌으면 좋겠다.
④ 조심히 <u>가십시오.</u>

6. 다음 중 띄어쓰기가 잘못된 것은?

① 너 허튼 짓 하지마라.
② 유사시 비상벨을 누르세요.
③ 언젠가 한 번쯤 가 볼 날이 오겠지.
④ 주머니에 돈이 천 원밖에 없다.

7. 다음 밑줄 친 단어와 같은 의미로 쓰인 것은?

저 사람 완전 다른 사람이 <u>됐네.</u>

① 인어공주는 물거품이 되어 버렸다.
② 벌써 출근시간이 다 됐다.
③ 나는 철이가 걱정돼.
④ 그 일 마무리가 아주 잘 됐어.

제 3 회 울산광역시교육청 교육공무직원 모의고사

8. 다음 밑줄 친 단어와 뜻의 연결이 바르지 않은 것은?

① 너도 할 수 있다는 의지를 <u>심어</u> 주었다. – 마음속에 확고하게 자리 잡게 하다.
② 머리를 <u>심는</u> 것도 괜찮은 방법이야. – 정하여진 틀이나 대상에 꽂아 넣다.
③ 그들은 문화를 옮겨 <u>심기</u>위해 노력했다. – 마음속에 확고하게 자리 잡게 하다.
④ 상대팀 기지 정상에 깃발을 먼저 <u>심어</u>놓자. – 정하여진 틀이나 대상에 꽂아 넣다.

▎9~10▎ 다음에 제시된 9개의 단어 중 3개의 단어를 통해 유추할 수 있는 것을 고르시오.

9.

눈사람, 단소, 태권도, 장갑, 초콜릿, 감자, 교과서, 붕어빵, 키위

① 서점
② 겨울
③ 종이
③ 여행

10.

오리, 한라산, 통장, 빨대, 바람, 축구공, 개나리, 우도, 결혼

① 운동장
② 진달래
③ 백두산
④ 제주도

11. 다음 글의 뒤에 이어질 내용으로 적절한 것은?

스마트폰은 전화 외의 여러 기능으로 우리 삶의 많은 부분을 바꿔 놓았습니다. 스마트폰 하나만 있으면 은행 업무, 식사주문, 영상보기, 쇼핑 등 앉은 자리에서 일상의 많은 일을 해결할 수 있게 되었고, 이제 언제어디를 가도 사람들이 앞사람과 이야기를 나누기 보다는 각자 고개를 숙인 채 스마트폰에 빠져있는 모습을 쉽게 볼 수 있습니다. 그런데 사실 이런 현상은 우리의 삶, 더욱이 학생들의 삶에 전혀 도움이 되지 않습니다.

① 청소년이 스마트폰을 사용했을 때의 문제점 제시
② 스마트폰의 주 소비층 분석
③ 스마트폰으로 바뀐 일상생활 예시
④ 청소년에게 유요한 어플리케이션 추천

12. 다음 글의 설명 방식으로 옳은 것은?

자전거를 타는 것은 주체로 하여금 계속 개입을 하게한다는 점에서 독서와 비슷하다. 독서는 눈으로 읽은 문자를 뇌에 입력하는 단순한 작업을 말하는 것이 아니다. 진정한 의미의 독서란 독자가 글을 보고 스스로 재해석 · 재구성하는 것이다. 자전거를 처음 배우던 기억을 떠올려 보자. 뒤에서 자전거를 잡아주던 부모님이 갑자기 손을 놓아 버리고, 자전거가 비틀거리면 페달을 계속 밟으라고 말씀하신다. 운전자가 직접 개입해야 하는 것이 자전거 타기인 것처럼, 독자가 직접적으로 참여할 때 비로소 독서의 참된 의미가 완성되는 것이다.

① 대상을 풀어서 그것을 구성하고 있는 개별요소나 성질로 나누는 방식으로 설명하고 있다.
② 서로 다른 대상 사이의 유사성에 집중하여 동일한 결론을 이끌어 내는 방식으로 설명하고 있다.
③ 두 대상의 대립되는 성질이나 차이점을 중심으로 설명하고 있다.
④ 대상을 일정한 기준에 따라 묶거나 나누는 방식으로 설명하고 있다.

13. 다음 글의 내용과 일치하지 않는 것은?

> 외국어 단어의 경우 처음에는 매체를 통해 우리에게 전달되는데, 해당 언어의 특징을 그대로 가지고 있어서 우리말로 받아들이기 쉽지 않고, 당연히 사전에도 표제어로 등재되지 않습니다. 반면 외래어는 일상생활에서 많이 쓰이거나 우리말에 동화된 부분도 있기에 우리말의 일부로 볼 수도 있습니다. 그렇다보니 오랜 시간 널리 쓰인 외래어의 경우에는 고유어와 똑같이 취급받기도 하는데, 이런 말은 외래어와 구분하여 귀화어라 하기도 합니다. 사전에도 외래어는 외국어 단어를 병기하는데 반해 귀화어는 어원만 별도로 표시할 뿐입니다.

① 외국어 단어는 사전에 표제어로 등재되지 않는다.
② 외래어는 사전에 등재되어 있다.
③ 오래 널리 쓰인 외국어는 귀화어라 하기도 한다.
④ 고유어 취급을 받는 외래어는 어원만 별도로 표시한다.

14. 다음 글의 밑줄 친 ㉠~㉣ 중 의미하는 바가 다른 것은?

> 우리가 생각 없지 잘라 내고 있는 것이 어찌 소나무만이겠습니까. ㉠ 없어도 되는 물건을 만들기 위하여 없어서는 안 될 것들을 마구 잘라 내고 있는가 하면 아예 사람을 ㉡ 잘라 내는 일마저 서슴지 않는 것이 우리의 현실이기 때문입니다. 우리가 살고 있는 이 지구 위의 유일한 생산자는 식물이라던 당신의 말이 생각납니다. 동물은 완벽한 소비자입니다. 그중에서도 최대의 소비자가 바로 사람입니다. 사람들의 생산이란 고작 ㉢ 식물들이 만들어 놓은 것이나 땅속에 묻힌 것을 파내어 소비하는 것에 지나지 않습니다. ㉣ 쌀로 밥을 짓는 일을 두고 밥의 생산이라고 할 수 없는 것이나 마찬가지입니다. 생산의 주체가 아니라 소비의 주체이며 급기야는 소비의 객체로 전락되고 있는 것이 바로 사람입니다.

① ㉠　　② ㉡
③ ㉢　　④ ㉣

15. 다음 글에서 언급한 글로벌 기업의 성공적 대응 전략이 아닌 것은?

> 경쟁이 치열한 시장에서 글로벌 기업이 성공적으로 대응하는 전략은 크게 4가지로 구분할 수 있다.
> 첫 번째로 제품을 차별화 하는 방법, 두 번째로 가격경쟁력을 높이는 방법이 있다. 세 번째로 시장을 선도함으로써 경쟁에서 벗어나는 방법, 네 번째로 경쟁의 범위를 제품판매에서 솔루션 영역으로 확장하는 방법이 있다.

① 구조 조정을 통해 원가 혁신을 달성
② 제품의 디자인을 눈에 띄게 교체
③ 홍보 시 온오프라인 동시에 공략
④ '드라이 샴푸'로 새로운 샴푸 시장 창출

16. 현재 누나의 통장에는 16,000원, 동생의 통장에는 21,500원이 들어있다. 앞으로 매달 누나는 2,000원씩, 동생은 1,500원씩 저금을 한다면 몇 개월째부터 누나의 저축액이 동생의 저축액보다 많아지겠는가?

① 9개월　　② 10개월
③ 11개월　　④ 12개월

17. 농도가 6%인 소금물 150g에 다른 소금물을 섞었더니 농도가 8%인 소금물 250g이 되었다. 이 때 섞은 소금물의 양과 농도는?

① 100g, 10%　　② 100g, 11%
③ 150g, 10%　　④ 150g, 11%

제 3 회 울산광역시교육청 교육공무직원 모의고사

18. 코끼리의 무게는 꼬마의 무게의 몇 배인가?

> 코끼리 : 5.5t　　꼬마 : 20kg

① 2.75배
② 27.5배
③ 275배
④ 2750배

19. A동네에서 B동네 사이를 왕복하는데, 갈 때는 시속 5㎞로 갔고, 올때는 시속 3㎞로 왔다. 왕복 총 1시간이 걸렸다고 했을 때, 두 동네 사이의 거리는?

① $\frac{15}{8}$km
② $\frac{17}{8}$km
③ $\frac{19}{8}$km
④ $\frac{21}{8}$km

20. 다음 (　)에 들어갈 수로 알맞은 것은?

3	13	29
25	14	(　)
17	18	10

① 5
② 6
③ 7
④ 8

▌21~22▐ 다음은 어느 시험의 통계사항을 나타낸 자료이다. 물음에 답하시오. (단, 계산 값은 소수점 둘째 자리에서 반올림한다)

(단위 : 명)

구분	접수 인원	응시 인원	합격 인원	합격률
1회	1,808		605	43.1
2회	2,013	1,422	(가)	34.0
3회	5,057	852	540	

21. 응시인원이 가장 많은 회차와 합격률이 가장 높은 회차를 맞게 짝지은 것은?

① 1회, 1회
② 2회, 1회
③ 1회, 3회
④ 2회, 3회

22. (가)에 들어갈 수로 알맞은 것은?

① 430명
② 453명
③ 470명
④ 483명

| 23~24 | 다음은 G기업의 A, B, C제품에 대한 만족도를 조사한 자료이다. 물음에 답하시오. (단, 중복응답자는 없다)

(단위 : 명)

구분	상	중	하
A	34	38	50
B	73	11	58
C	71	41	24

23. 전체 응답자 중 세 제품에 '하'를 준 사람의 비율은?

① 30%　② 31%
③ 32%　④ 33%

24. A제품에 대한 응답자 중 '상'을 선택한 사람의 비율과, B제품에 대한 응답자 중 '중'을 선택한 사람의 비율의 합은? (단, 계산 값은 소수점 둘째 자리에서 반올림한다)

① 35.4%　② 35.5%
③ 35.6%　④ 35.7%

25. H유치원의 모든 아이들은 집에 강아지를 한 마리씩 키우고 있는데 그 종류와 수는 다음과 같다. 푸들을 키우는 아이의 수는 전체의 몇 %인가? (단, 계산 값은 소수점 둘째 자리에서 반올림한다)

말티즈	치와와	푸들	진돗개	비글	스피츠
21	14	10	5	8	15

① 11.5%　② 13.7%
③ 14.3%　④ 15.6%

26. 다음 제시된 도형과 같은 하나는?

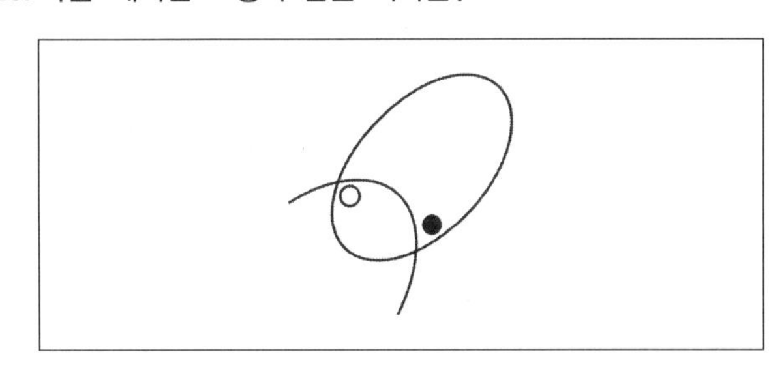

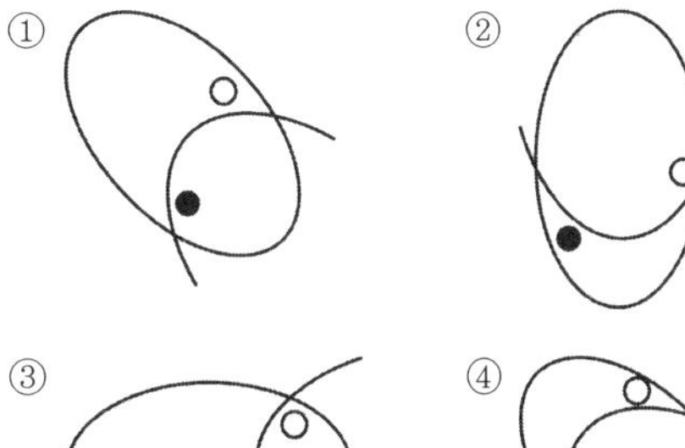

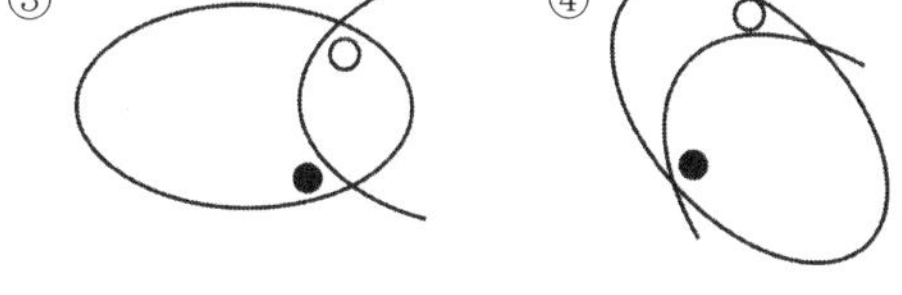

27. 다음 도형의 전개도로 맞는 것은?

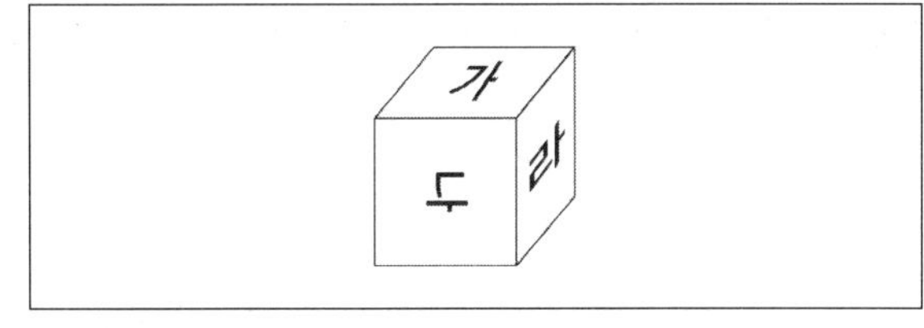

①
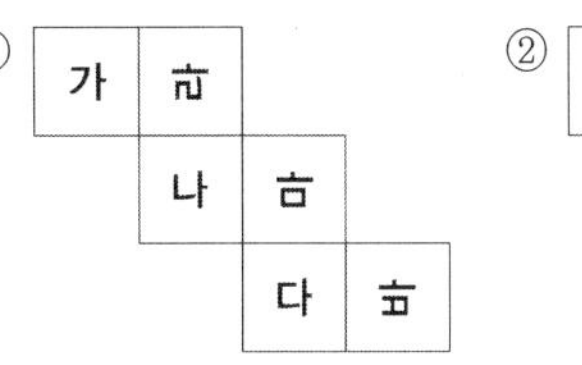

②
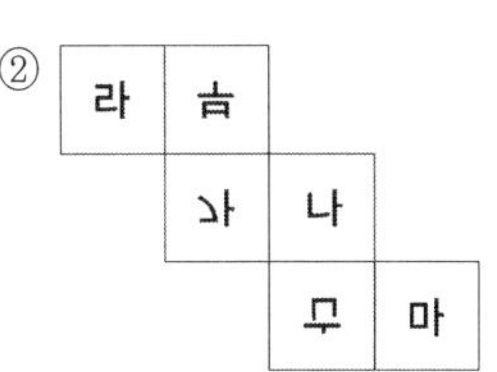

③
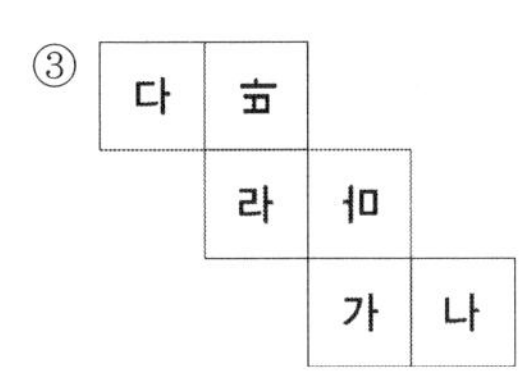

④
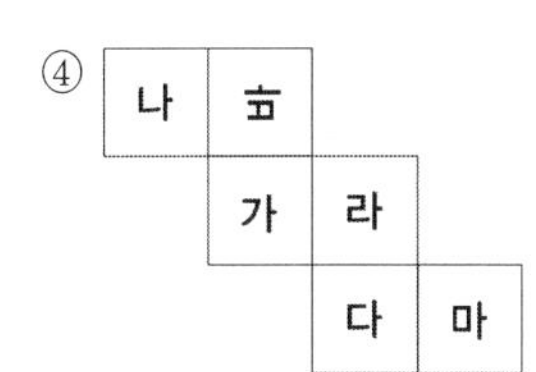

28. 다음 제시된 도형의 단면을 잘못 그린 것은?

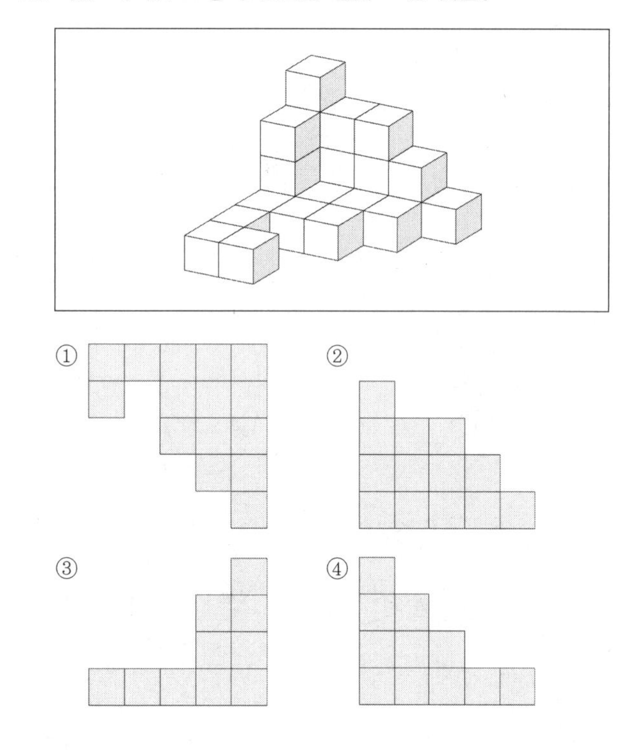

29. 제시된 두 도형을 결합했을 때 나타날 수 없는 형태를 고르시오.

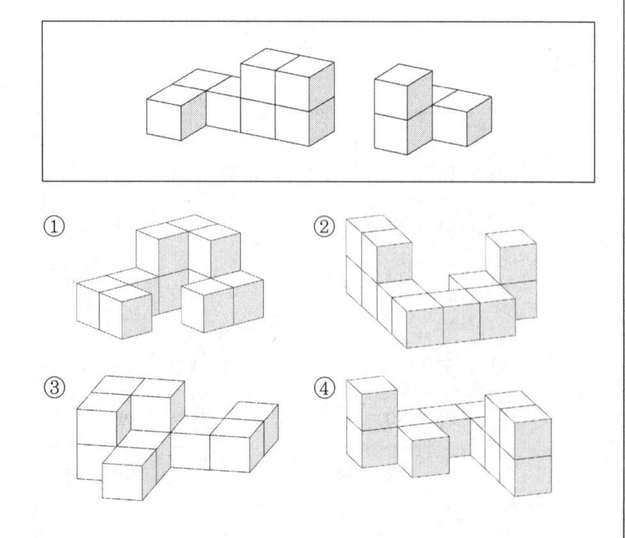

30. 다음과 같이 종이를 접은 후 구멍을 뚫어 펼친 그림으로 옳은 것은?

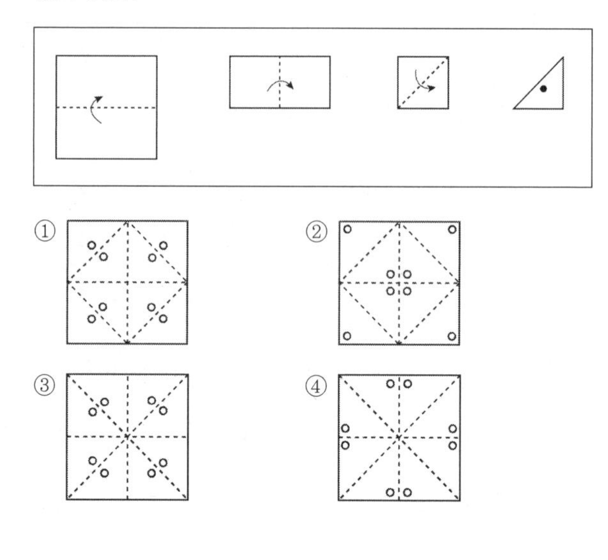

31. 다음 (　)에 들어갈 말로 적절한 것은?

필적하다 : 비적하다 = 개회하다 : (　)

① 회개하다
② 선회하다
③ 우회하다
④ 개천하다

32. 다음 중 단어의 관계가 다른 하나는?

① 키위 – 파인애플 – 복숭아
② 축구 – 농구 – 야구
③ 코끼리 – 기린 – 치타
④ 물고기 – 넙치 – 숭어

33. 전제가 다음과 같을 때 결론으로 올바른 것은?

- 밤을 새워 공부하면 내일 시험성적이 오른다.
- 30분의 휴식을 취하면 공부 효율이 오른다.
- 한철이는 30분의 휴식 뒤에 밤새 공부를 했다.
- 결론 ______________________

① 한철이는 매우 피곤해졌을 것이다.
② 한철이는 다음에는 미리 공부를 해야겠다고 생각했을 것이다.
③ 한철이는 효율 있게 공부한 결과 시험점수가 대폭 상승했을 것이다.
④ 한철이는 늦잠을 자서 시험을 못 쳤을 것이다.

34. 다음 내용을 참고할 때, 경시대회에서 3등을 한 사람은?

- 경시대회에는 A~E, 5명이 참가했다.
- D는 최상위권이지만 1등은 아니다.
- A는 C보다는 순위가 낮다.
- E는 A보다는 낮고 B보다는 낫다.

① A
② B
③ C
④ E

35. 다음 문제의 〈보기 1〉을 보고 〈보기 2〉에 제시된 문장의 참 · 거짓, 알 수 없음을 판단하면?

보기 1

- 비가 오기 전에는 무릎이 쑤신다.
- 무릎이 아프면 예민해진다.
- 예민한 사람은 상처를 잘 받는다.

보기 2

비가 오지 않으면 무릎이 아프지 않다.

① 참
② 거짓
③ 알 수 없음

Ⅰ36~40Ⅰ 다음 제시된 숫자의 배열을 보고 규칙을 적용하여 빈칸에 들어갈 알맞은 수를 고르시오.

36.

7 10 16 25 37 52 ( )

① 68 ② 70
③ 72 ④ 74

37.

2 3 3 6 12 60 ( )

① 720 ② 700
③ 680 ④ 660

38.

$\frac{3}{7}$ $\frac{4}{11}$ $\frac{7}{15}$ $\frac{8}{22}$ $\frac{14}{30}$ $\frac{16}{44}$ ( )

① $\frac{30}{56}$
② $\frac{29}{58}$
③ $\frac{28}{60}$
④ $\frac{27}{62}$

39.

1 6 3 18 9 54 ( )

① 27
② 30
③ 33
④ 36

40.

3 5 9 17 33 65 ( )

① 128
② 129
③ 130
④ 131

41. 다음 짝 지어진 것들 중 서로 다른 것은?

① DODOCOODCOBD – DODOCOODCOBD
② 01001110109080 – 01001110109080
③ MNNMNMXMNX – MNNMNMXNNX
④ ▣■□◎◈◉▣◐■ – ▣■□◎◈◉▣◐■

42. 다음 괄호 안에 들어갈 알맞은 도형은?

■◐◑▼ : □◑◐▽ = ○◆▲▶ : ( )

① ○◇△▷
② ●◆▲▶
③ ◉◆△▷
④ ●◇△▷

43. 다음 중 나머지 셋과 다른 법칙을 설명하고 있는 것은?

① 로켓은 가스를 뒤로 분사하며 날아간다.
② 버스가 출발하면 사람의 몸이 뒤로 쏠린다.
③ 사람은 땅을 뒤로 밀면서 앞으로 걸어간다.
④ 포탄이 발사되면 포신이 뒤로 밀려난다.

44. 다음 중 용어와 예시가 잘못 연결된 것은?

① 액화–물이 끓을 때 김이 생긴다.
② 응고–고드름이 생긴다.
③ 융해–얼음이 녹는다.
④ 기화–드라이아이스가 작아진다.

45. 다음 중 현상과 용어가 바르게 연결된 것은?

① 프리즘을 통과하는 햇빛–직진
② 아지랑이–회절
③ 신기루–굴절
④ 물 속의 빨대가 꺾여 보임–분산

SEOWONGAK

울산광역시교육청 교육공무직원

제4회 소양평가 모의고사

성명		생년월일	
문제 수(배점)	45문항	풀이시간	/ 50분
영역	직무능력검사		
비고	객관식 4지선다형		

※ 유의사항 ※

- 문제지 및 답안지의 해당란에 문제유형, 성명, 응시번호를 정확히 기재하세요.
- 모든 기재 및 표기사항은 "컴퓨터용 흑색 수성 사인펜"만 사용합니다.
- 예비 마킹은 중복 답안으로 판독될 수 있습니다.

제 4 회 울산광역시교육청 교육공무직원 모의고사

정답해설 p.18

각 문제에서 가장 적절한 답을 하나만 고르시오.

1. 다음에 제시된 단어와 비슷한 의미를 가진 단어는?

휴지하다

① 제지하다
② 휴면하다
③ 무지하다
④ 휴대하다

2. 다음에 제시된 단어와 상반된 의미를 가진 단어는?

섭정하다

① 섭섭하다
② 친정하다
③ 책정하다
④ 사정하다

3. 다음 중 제시된 단어가 나타내는 뜻을 모두 포괄할 수 있는 단어는?

조각내다/부화하다/정신을 차리다/벗어나다

① 새다
② 가다
③ 깨다
④ 식다

4. 다음 중 바르게 쓰인 표현을 고르면?

① 금새 눈앞에서 사라졌다.
② 나와 내 친구는 떼려야 뗄 수 없는 사이이다.
③ 이걸 지금 구지 해야 해?
④ 몸과 마음을 튼튼이 하는 것이 중요하다.

5. 밑줄 친 부분이 어법에 어긋나는 것을 고르면?

① 라면이 <u>불면</u> 먹기 싫다.
② 이곳에 <u>엊그저께</u> 도착했다.
③ 시골집에는 <u>푿소</u>가 3마리 있다.
④ 고무줄을 좀 <u>늘여라</u>.

6. 다음 중 띄어쓰기가 바르지 않은 문장은?

① 한 반에는 스무 명 남짓의 학생이 있다.
② 내가 하고자 하는 바를 아무도 막지 마라.
③ 버스가 떠난 지 한참 지난 것 같다.
④ 너 먹고 싶은거 다 먹어도 돼.

7. 다음 중 외래어 표기법에 맞게 쓰인 것은?

① 아이는 매일 요쿠르트를 하나씩 먹는다.
② 이번 여름에는 샌달만 신었다.
③ 앵콜 무대가 길어서 너무 좋았다.
④ 샹들리에가 참 멋지다.

8. 다음 밑줄 친 단어와 같은 의미로 쓰인 것은?

> 해당 자격증이 있으면 가산점을 <u>준다</u>.

① 용돈을 <u>주려고</u> 현금을 인출했다.
② 나에게 <u>주어진</u> 임무는 막중하다.
③ 강아지는 내 삶에 행복을 <u>준다.</u>
④ 특혜를 <u>주는</u> 것은 불공정하다.

9. 밑줄 친 단어의 관계가 나머지와 다른 것은?

① 하늘에서 <u>눈</u>이 펑펑 내려서 <u>눈</u>이 부실 지경이다.
② 갑자기 <u>말</u>소리를 크게 내면 <u>말</u>이 놀란다.
③ 너무 바빠 <u>손</u>이 모자라서 그 사람의 <u>손</u>을 빌렸다.
④ 맛있는 <u>배</u>를 잔뜩 먹었더니 <u>배</u>가 너무 부르다.

10. 다음 중 단위와 그 양이 잘못 연결된 것은?

① 한 꾸러미－달걀 10개
② 한 축－오징어 10마리
③ 한 쌈－바늘 24개
④ 한 쾌－북어 20마리

11. 다음에 제시된 9개의 단어 중 관련된 3개의 단어를 통해 유추할 수 있는 것은?

> 바다, 달력, 선풍기, 매직, 회전목마, 삼겹살, 편의점, 귀걸이, 수박

① 봄
② 여름
③ 가을
④ 겨울

12. 다음 글의 내용과 일치하는 것은?

> 어떤 것을 다른 것과 바꾸는 교환활동은 새로운 상품을 만들어 내지 않기 때문에 교환 당사자들 중에 어느 한 사람이 이익을 보면 다른 족이 손실을 보는 것으로 흔히 생각하기 쉽다. 그러나 사람들이 교환활동을 자발적으로 하고 있다는 것만 생각해 보아도 이러한 생각이 잘못된 것이라는 것을 금방 알 수 있다. 즉, 상품을 사는 사람이나 파는 사람 어느 한쪽이라도 교환을 통해서 이익이 될 것이라고 생각하지 않는다면 자발적인 교환이 성립하지 않을 것이기 때문이다.

① 사람들은 자발적으로 교환을 한다.
② 교환은 파는 사람이 손실을 본다.
③ 교환을 통해 새로운 상품이 생긴다.
④ 교환은 사는 사람이 이득이다.

13. 다음 (가)~(라)를 문맥에 맞게 배열한 것은?

> (가) 실제로 많은 사람들은 잠을 잘 때 태아와 같은 자세를 취한다.
> (나) 우리는 매일 잠을 잘 때, 삶을 처음 시작할 때와 아주 비슷한 상황으로 돌아가는 셈이 된다.
> (다) 마찬가지로 잠자는 사람의 정신 상태를 보면 의식의 세계에서 거의 완전히 물러나 있으며, 외부에 대한 관심도 정지되는 것으로 보인다.
> (라) 신체적인 측면에서 보면 잠든다는 것은 평온하고 안락한 자궁 안의 시절로 돌아가는 것과 다름이 없다.

① (가)－(나)－(라)－(다)
② (나)－(가)－(다)－(라)
③ (가)－(라)－(다)－(나)
④ (나)－(라)－(가)－(다)

14. 다음 글의 중심 내용으로 적절한 것은?

> 전통은 과거로부터 이어 온 것을 말하며, 대체로 사회 및 사회의 구성원의 몸에 배어 있는 것이다. 그러므로 스스로 깨닫지 못하는 사이에 전통은 우리의 현실에 작용하는 경우가 있다. 그러나 과거에서 이어 온 것을 모두 전통이라고 한다면, 우리가 버려야 할 인습과 구별이 되지 않을 것이다. 따라서 우리는 과거에서 이어 온 것을 객관화하고, 이를 비판하는 입장에 서야한다. 그 비판을 통해서 현재의 문화 창조에 이바지할 수 있다고 생각되는 것만을 전통이라고 불러야 할 것이다.

① 전통의 종류
② 인습의 종류
③ 전통의 본질
④ 인습의 본질

15. 다음 글의 (　)에 들어갈 접속어를 알맞게 나열한 것은?

> 우리나라의 공적연금제도에는 국민의 노후 생계를 보장해 주는 국민연금이 있다. 연금은 가입자가 현재 비용을 지불하고 나중에 편익을 얻게 된다. (　) 사람들은 현재의 욕구에 대한 갈망이 더 크기 때문에 미래의 편익을 위해 현재 비용을 지불하지 않으려 한다. 문제는 젊었을 때 노후를 대비하지 않은 사람들을 위해 연금에 가입해서 성실하게 납부한 사람들의 세금 부담이 커질 수 있다는 것이다. (　) 국가가 나서서 강제로 연금에 가입하도록 하는 것이다.

① 하지만 – 왜냐하면
② 그리고 – 결국
③ 그래도 – 그리하여
④ 그러나 – 그래서

16. 농도가 15%인 소금물의 물을 40g 증발시켜 농도가 25%인 소금물을 만든 후, 여기에 소금을 더 넣어 농도 70%의 소금물을 만든다면 몇 g의 소금을 넣어야 하겠는가?

① 60g　② 70g
③ 80g　④ 90g

17. 문서를 전산화하는 작업을 하는데 나식이는 30장에 2시간, 하식이는 2시간 30분이 걸린다. 70장의 문서를 나식이가 3시간동안 작업을 한 후 하식이에게 넘겨줬다면, 하식이가 처리해야 할 양과 소요시간은 얼마인가?

① 24장, 1시간 55분
② 24장, 2시간
③ 25장, 2시간 5분
④ 25장, 2시간 10분

18. 풀장에 물을 가득 채우는데 A호스, B호스, C호스 각각 4시간, 2시간, 3시간이 걸린다. 처음에 A호스로 잠시 채우다가 중단하고, 이어서 B, C호스를 1시간 동안 동시에 사용하여 가득 채웠다. A호스로 물을 채운 시간은 얼마일까?

① 30분　② 40분
③ 50분　④ 60분

19. 원가가 500원인 물건이 있다. 이 물건을 정가의 50%를 할인해서 팔았을 때, 원가의 5%의 이익이 남게 하기 위해서는 원가에 몇 %이익을 붙여 정가를 정해야 하는가?

① 80%　② 90%
③ 100%　④ 110%

20. 동구는 매일 왕복 3.75㎞를 2시간 동안 걸어서 출퇴근 한다. 시속 3㎞로 걸어서 출근을 한다면, 퇴근은 시속 몇 ㎞로 하겠는가?

① 5km/h
② 6km/h
③ 7km/h
④ 8km/h

21. 다음은 아파트 헬스장에 등록한 사람들의 나이와 성별을 조사한 표이다. 이에 대한 설명으로 옳지 않은 것은? (단, 계산 값은 소수점 둘째자리에서 반올림한다)

나이(세)	성별	
	남(명)	여(명)
~19	13	10
20~29	27	32
30~39	33	35
40~49	30	28
50~	17	20
합계	120	125

① 남자 회원의 경우 20~39세의 비율이 나머지 나이대의 비율보다 높다.
② 남녀 모두 40대부터 이용자수가 줄어든다.
③ 총 등록 인원은 남자보다 여자가 더 많다.
④ 남녀 회원 수 차이가 가장 큰 나이대는 30대이다.

| 22~23 | 다음은 한 대학에서 실시한 교내공모전 참자가의 학과를 조사한 자료이다. 물음에 답하시오. (단, 계산 값은 소수점 둘째 자리에서 반올림한다)

학과	2019년		2020년	
	인원(명)	비율(%)	인원(명)	비율(%)
경영	37		47	27.6
영문	24		32	18.8
심리	18		29	17.1
철학	13		20	11.8
정치	28		42	24.7

22. 2019년, 참가율이 두 번째로 높은 학과는?

① 경영학과
② 영문학과
③ 심리학과
④ 정치학과

23. 2020년 참여인원의 전년대비 증가율이 가장 높은 학과는?

① 영문학과
② 심리학과
③ 철학학과
④ 정치학과

| 24~25 | 다음은 서울시 유료 도로에 대한 자료이다. 물음에 답하시오. (단, 계산 값은 소수점 둘째 자리에서 반올림한다)

분류	도로수(개)	총길이(km)	건설비(억)
관광용 도로	5		30
산업용 도로	7	55	300
산업관광용 도로	9		400
합계	21	283	730

24. 산업용 도로 10km의 건설비는 얼마가 되겠는가?

① 45억
② 50억
③ 55억
④ 60억

25. 관광용 도로의 1km당 건설비가 1억이라고 할 때, 산업관광용 도로 8km의 건설비는 얼마가 되겠는가?

① 15억
② 16억
③ 17억
④ 18억

26. 다음과 같이 종이를 접은 후 구멍을 뚫어 펼친 그림으로 옳은 것은?

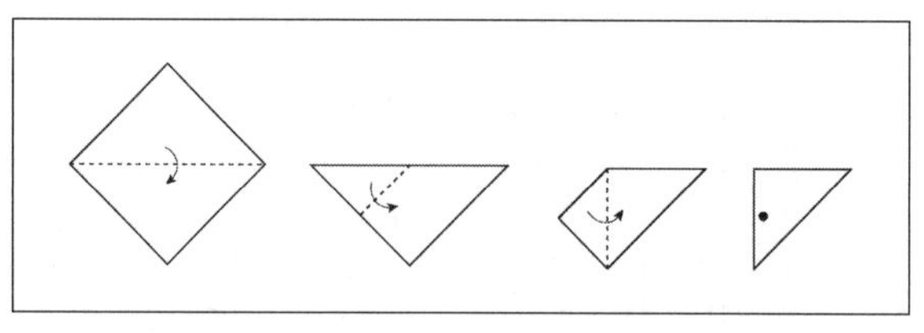

① ②

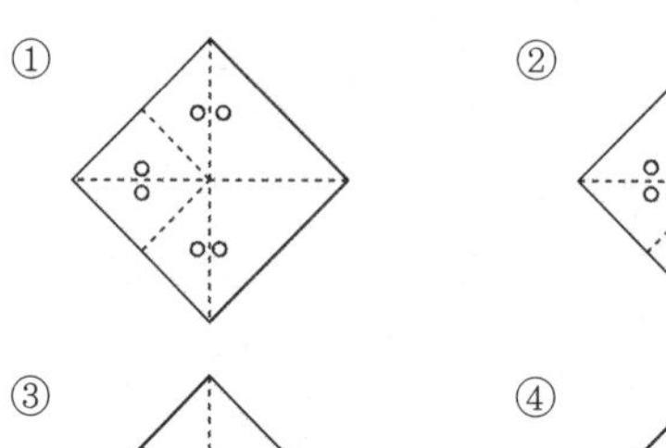

③ ④

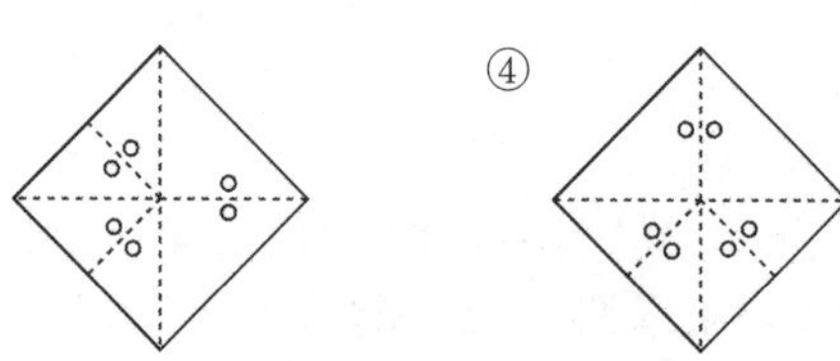

27. 다음 전개도를 접었을 때 나타나는 정육면체의 모양이 아닌 것은?

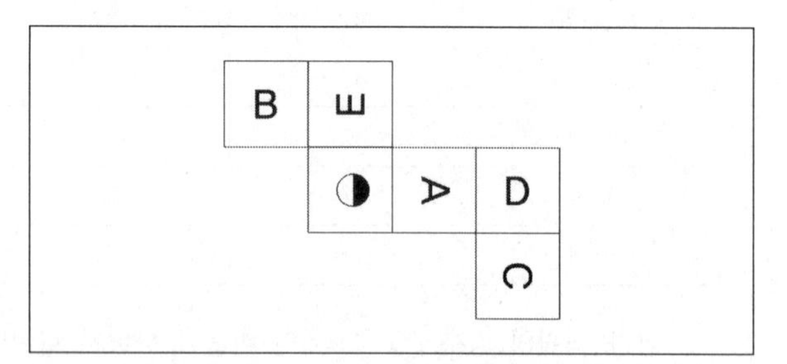

①
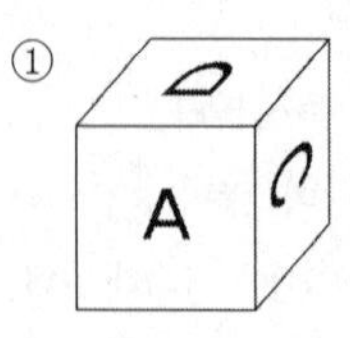

②
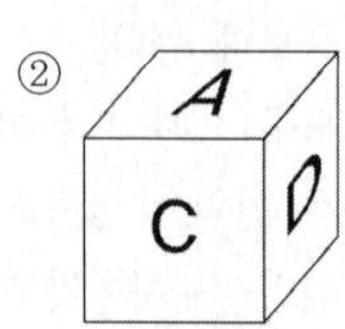

③
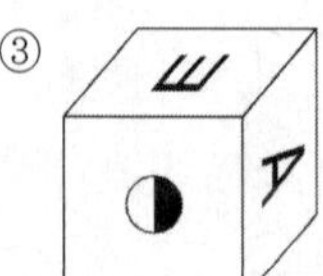

④
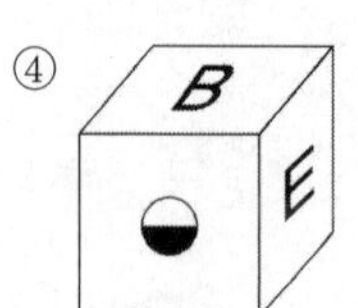

28. 다음 입체도형의 블록 개수는?

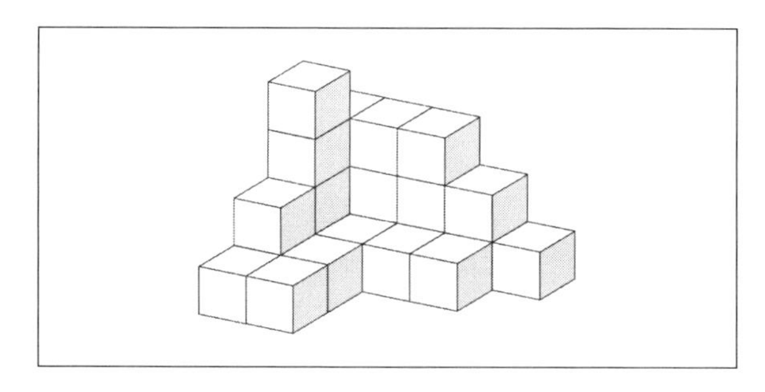

① 22　② 23

③ 24　④ 25

29. 다음 입체도형을 평면으로 잘랐을 때 생기는 단면의 모양이 아닌 것은?

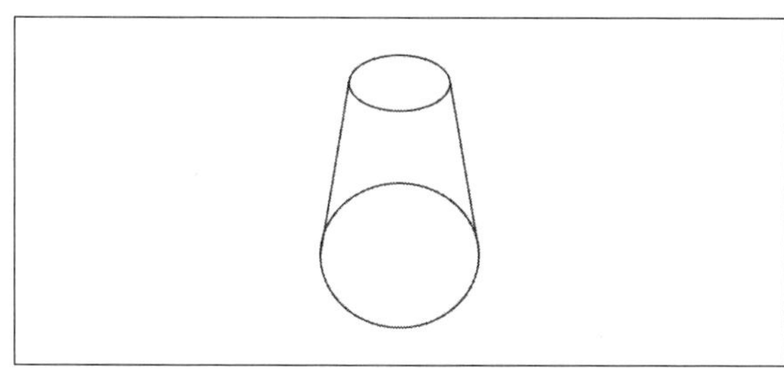

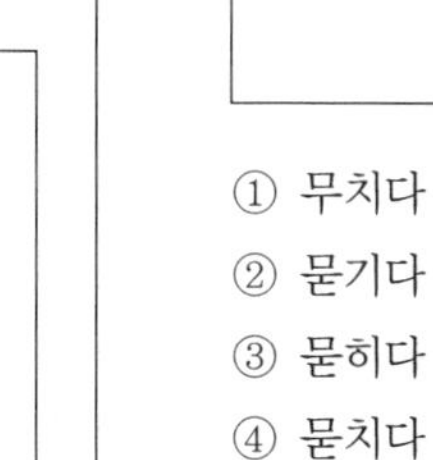

①　②

③　④

30. 다음 제시된 단면을 참고하여 해당하는 입체도형을 고르시오.

평면	정면	우측면

①　②

③　④

31. 다음 (　)안에 들어갈 말로 적절한 것은?

안다 : 안기다 = 묻다 : (　)

① 무치다

② 묻기다

③ 묻히다

④ 묻치다

32. 다음 중 단어의 관계가 다른 하나는?

① 커피 – 녹차 – 음료

② 해바라기 – 꽃 – 식물

③ 수박 – 과채류 – 채소

④ 참새 – 조류 – 동물

33. 다음 문제의 〈보기 1〉을 보고 〈보기 2〉에 제시된 문장의 참 · 거짓, 알 수 없음을 판단하면?

보기 1

- 비가 오기 전에는 무릎이 쑤신다.
- 무릎이 아프면 예민해진다.
- 예민한 사람은 상처를 잘 받는다.

보기 2

태호는 키가 평균 이상 클 것이다.

① 참
② 거짓
③ 알 수 없음

34. 다음 중 잘못된 결론을 내린 것은?

① 인간은 모두 죽는다. – 플라톤은 인간이다. – 플라톤은 죽는다.
② 가을이 오면 길가에 코스모스가 핀다. – 가을이 왔다. – 길가에 코스모스가 핀다.
③ 내일은 비가 오거나 눈이 온다. – 내일은 눈이 오지 않는다. – 내일은 비가 온다.
④ 김치찌개 또는 된장찌개를 좋아한다. – 김치찌개를 좋아한다. – 된장찌개를 좋아한다.

35. 다음은 C매장에서 파는 음료의 매출순위를 비교한 내용이다. 가장 판매량이 높은 음료와 가장 판매량이 낮은 음료를 바르게 짝지은 것은?

- 수박주스는 해당 매장에서 가장 잘 팔리는 메뉴로 유명하다.
- 키위주스는 토마토주스보다 덜 팔린다.
- 딸기주스와 토마토주스는 판매량이 비슷하다.

① 수박주스, 키위주스
② 딸기주스, 키위주스
③ 수박주스, 토마토주스
④ 딸기주스, 토마토주스

┃36~40┃ 다음 빈칸에 들어갈 알맞은 숫자를 고르시오.

36.

1 1 2 1 2 4 1 2 4 8 1 2 ( ) 8 10

① 4　② 5
③ 6　④ 7

37.

1 3 3 2 3 ( ) 3 3 9 4 3 12 5 3 15

① 5　② 6
③ 7　④ 8

38.

1 3 7 13 21 31 43 ( ) 73 91

① 55 ② 56
③ 57 ④ 58

39.

1 3 7 15 31 63 127 255 511 ( )

① 1020 ② 1021
③ 1022 ④ 1023

40.

27	72	41
69	◆	( )
59	28	73

① 30 ② 31
③ 32 ④ 33

41. 다음에서 치타는 몇 번 제시되었는가?

치타	치석	치아	치료	치질	치과
치마	치약	치타	치즈	치자	치부
치양	치장	치기	치매	치유	치선
치신	치아	치타	치과	치고	치욕

① 1번 ② 2번
③ 3번 ④ 4번

42. 빈칸에 들어갈 도형으로 알맞은 것은?

△	▲	△
▼	▽	▼
▽	▲	▽

:

▽	▼	▽
△	▲	△
▼	△	( )

① ▼ ② ▽
③ ▲ ④ △

43. 좋은 볍씨를 고르기 위하여 그림과 같이 소금물을 이용하였다. 이 때 이용한 물질의 성질은?

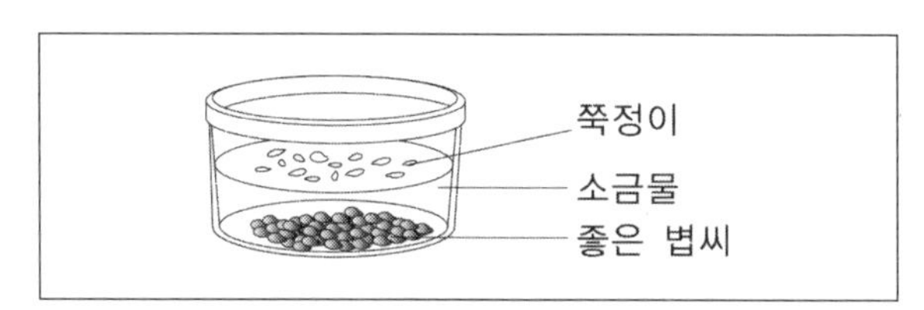

① 끓는점 차이
② 용해도 차이
③ 밀도 차이
④ 입자의 크기 차이

44. 다음은 엽록체에서 일어나는 광합성 과정을 나타낸 것이다. ( )안에 들어갈 물질은?

( )+물 —(빛에너지)→ 포도당+산소

① 수소
② 질소
③ 암모니아
④ 이산화탄소

45. 다음 (가), (나)에 들어갈 말로 알맞은 것은?

> 수력 발전이란 높은 곳에 있는 물의 (가)를/을 이용하여 (나)를/을 얻는 발전 방식이다.

	(가)	(나)
①	운동 에너지	위치 에너지
②	전기 에너지	운동 에너지
③	위치 에너지	전기 에너지
④	전기 에너지	위치 에너지

SEOWONGAK

울산광역시교육청 교육공무직원

제5회 소양평가 모의고사

성명		생년월일	
문제 수(배점)	45문항	풀이시간	/ 50분
영역	직무능력검사		
비고	객관식 4지선다형		

※ 유의사항 ※

- 문제지 및 답안지의 해당란에 문제유형, 성명, 응시번호를 정확히 기재하세요.
- 모든 기재 및 표기사항은 "컴퓨터용 흑색 수성 사인펜"만 사용합니다.
- 예비 마킹은 중복 답안으로 판독될 수 있습니다.

제 5 회 울산광역시교육청 교육공무직원 모의고사

각 문제에서 가장 적절한 답을 하나만 고르시오.

1. 다음에 제시된 단어와 비슷한 의미를 가진 단어는?

우통하다

① 원통하다
② 굼뜨다
③ 우롱하다
④ 멋쩍다

2. 다음에 제시된 단어와 상반되는 의미를 가진 단어는?

가멸다

① 멸망하다
② 가열하다
③ 멸시하다
④ 가난하다

3. 다음 중 제시된 단어가 나타내는 뜻을 모두 포괄할 수 있는 단어는?

푸짐하다/진하다/기름지다/매달다

① 걸다
② 갈다
③ 굴다
④ 길다

4. 다음 중 바르게 쓰인 표현을 고르면?

① 선생님은 아이들을 가리키는 일을 한다.
② 작곡가 소개는 대표곡으로 갈음하도록 하겠습니다.
③ 오랫만에 보니 너무 반갑다.
④ 너와 내가 만나 비로서 완벽해졌다.

5. 밑줄 친 부분이 어법에 맞는 것을 고르면?

① 그런 행동을 해도 나는 전혀 <u>섭섭치</u> 않다.
② <u>베갯닛</u>은 일주일에 한 번 빨아라.
③ 월세를 아끼려고 <u>전셋집</u>을 구하는 중이다.
④ 어디 한번 <u>곰곰히</u> 생각해보렴.

6. 다음 중 띄어쓰기가 바르지 않은 문장은?

① 뭐 하러 사서 고생을 해.
② 거기 가본 지 삼 년은 더 넘은 거 같아.
③ 어제 하루동안 정말 많은 일이 있었다.
④ 온 김에 이거나 좀 먹고 가.

7. 다음 중 표준 발음법에 어긋난 것은?

① 설익다[설릭따]
② 늑막염[능망념]
③ 넓둥글다[넙뚱글다]
④ 이원론[이월론]

8. 다음 중 사이시옷의 표기가 옳지 않은 것은?

① 어제는 윗집 할아버지 제사날이었다.
② 툇마루에 누워 먼 훗날을 상상했다.
③ 나뭇가지에 나뭇잎이 하나도 없다.
④ 아랫방에 앉아 전세방에 대해 이야기를 나누었다.

9. 다음 중 외래어 표기가 잘못 된 것은?

① 렌터카
② 플래카드
③ 모라토리엄
④ 카운슬링

10. 다음에 제시된 9개의 단어 중 관련된 3개의 단어를 통해 유추할 수 있는 것을 고르시오.

겨울, 이어폰, 자동차, 엿, 감기, 고등학생, 선풍기, 개구리, 매실

① 수능
② 방학
③ 핸드폰
④ 병원

11. 다음 글의 빈칸에 들어갈 가장 적절한 문장은?

민간 위탁 업체는 수익성을 중심으로 공공 서비스를 제공하기 때문에, 수익이 나지 않을 경우에는 민간 위탁 업체가 제공하는 공공 서비스가 기대 수준에 미치지 못할 수 있다. 또한 민간 위탁 제도에 의한 공공 서비스 제공의 성과는 정확히 측정하기 어려운 경우가 많아서 평가와 개선이 지속적으로 이루어지지 않을 때에는 오히려 민간 위탁 제도가 공익을 저해할 수 있다. 따라서 민간 위탁제도의 도입을 결정할 때에는 ______________________.

① 민간 업체를 선택하는 과정을 축소해야 한다.
② 서비스의 다양화와 양적 확대를 염두에 둬야 한다.
③ 서비스의 생산 비용이 가장 적은 업체에 먼저 기회를 줘야 한다.
④ 서비스의 성격과 정부의 관리 능력 등을 검토하여 결정해야 한다.

12. 다음 (가)~(라)를 흐름이 자연스럽도록 순서대로 배열한 것은?

(가) 공동사회에 소속된 사람들은 습관이나 전통에 따라 행동하며, 직접적 혜택을 통해서 보상받지 못하더라도 다른 이들을 위해서 무언가를 한다.
(나) 개인이 서로 의지하고 상호관계를 인식하는 곳에 공동사회가 존재한다.
(다) 그러나 이익사회는 평화로운 방식으로 평등하게 생계를 꾸리고 함께 살아가는 개인들의 집단이다.
(라) 개인들이 관계를 맺는다 할지라도 그들은 서로 의존하지 않고 분리된 채 존재한다.

① (가)－(다)－(라)－(나)
② (나)－(가)－(다)－(라)
③ (가)－(나)－(다)－(라)
④ (나)－(라)－(가)－(다)

제 5 회 울산광역시교육청 교육공무직원 모의고사

13. 다음 글의 내용을 이해한 것으로 바르지 못한 것은?

> 매년 청소년 흡연율은 증가하는 추세이다. 청소년보호법에 따르면 미성년자에게 담배를 팔 경우 2년 이하의 징역이나 1천만 원 이하의 벌금, 100만 원 이하의 과징금을 내도록 되어 있다. 그러나 담배 판매상의 잘못된 의식, 시민들의 고발정신 부족 등으로 인해 청소년에게 담배를 판매하는 행위가 제대로 시정되지 않고 있다. 또한 현재 담배 자동판매기의 대부분이 국민건강증진법에 허용된 장소에 설치되어 있다고는 하나, 그 장소가 주로 공공건물 내의 식당이나 상가 내 매점 등에 몰려 있다. 이런 장소들은 청소년들의 출입이 용이하기 때문에 그들이 성인의 주민등록증을 도용하여 담배를 사더라도 이를 단속하기가 어려운 실정이다.

① 법규의 실효성이 미흡하고, 시설관리체계가 허술하다.
② 청소년이 담배를 구입하기는 어렵지 않다.
③ 자동판매기는 국민건강증진법에 맞는 장소에 설치를 해야 한다.
④ 청소년이 담배를 구입하는 것을 시정하기 위해서는 시민의 관심도 필요하다.

14. 다음의 문장이 들어가기에 적절한 위치를 고르면?

> 언어결정론자들의 주장에 따르면 에스키모인들은 눈에 관한 다양한 언어 표현들을 갖고 있어서 눈이 올 때 우리가 미처 파악하지 못한 미묘한 차이점들을 찾아낼 수 있다.

> 우리의 생각과 판단은 언어에 의해 결정되는가 아니면 경험에 의해 결정되는가? ㉠ 언어결정론자들은 우리의 생각과 판단이 언어를 반영하고 있고 실제로 언어에 의해 결정된다고 주장한다. ㉡ 에스키모인들의 눈에 관한 언어를 생각해보자. ㉢ 또 언어결정론자들은 '노랗다', '샛노랗다' 등 노랑에 대한 다양한 우리말 표현들이 있어서 노란색들의 미묘한 차이가 구분되고 그 덕분에 색에 관한 우리의 인지 능력이 다른 언어 사용자들 보다 뛰어나다고 본다. ㉣ 이렇듯 언어결정론자들은 사용하는 언어에 의해서 우리의 사고 능력이 결정된다고 말한다.

① ㉠ ② ㉡
③ ㉢ ④ ㉣

15. 다음 글을 참고할 때, '깨진 유리창의 법칙'이 시사하는 바로 가장 적절한 설명은?

> 1969년, 한 심리학자는 심리실험을 했다. 범죄가 자주 발생하는 골목에 새 승용차 한 대를 보닛을 열어 놓은 상태로 방치시켰다. 일주일 후에 확인해보니 그 차는 아무런 이상이 없었다. 이번에는 새 승용차의 한쪽 유리창을 깬 상태로 방치시켰다. 이번에는 불과 10분만에 배터리가 없어지고 차 안에 쓰레기가 버려져 있었다. 시간이 지나면서 낙서, 도난, 파괴가 연이어 일어났다. 1주일이 지나자 그 차는 거의 고철 상태가 되어 폐차장으로 실려 갈 정도가 되었던 것이다. 훗날 이 실험결과는 '깨진 유리창의 법칙'이라는 이름으로 불리게 된다.

① 문제는 사전에 예방해야 한다.
② 범죄는 아무도 보는 사람이 없을 때 일어날 확률이 크다.
③ 작은 일을 철저히 관리하면 큰 사고를 막을 수 있다.
④ 표적이 되지 않기 위해서는 자동차 문단속을 잘해야 한다.

16. 심석이는 카페에서 친구와 만나기로 하였다. 시속 3km로 걸으면 약속시간보다 15분 늦게 도착하고, 시속 12km로 자전거를 타고가면 약속시간보다 21분 일찍 도착한다. 이 때 집에서 카페까지의 거리는?

① 2.3km
② 2.4km
③ 2.5km
④ 2.6km

17. 나석이는 자신이 가진 7%의 소금물 300g과 하루가 가진 소금물을 섞어 9%의 소금물 500g을 만들려고 한다. 이 때 하루가 가지고 있던 소금물의 양과 농도는?

① 200g, 10% ② 200g, 11%
③ 200g, 12% ④ 200g, 13%

18. 어떤 강을 따라 20km 떨어진 지점을 배로 왕복하려고 한다. 올라 갈 때에는 5시간이 걸리고 내려올 때에는 4시간이 걸린다고 할 때 강물이 흘러가는 속력은 얼마인가? (단, 배의 속력은 일정하다)

① 0.5km/h ② 1km/h
③ 1.5km/h ④ 2km/h

19. 각각 15분 간격, 27분 간격으로 출발하는 열차가 있다. 두 열차가 9시에 동시 출발을 했다면, 다음번에 동시에 출발하는 시각은 언제인가?

① 11시 ② 11시 15분
③ 11시 30분 ④ 11시 45분

20. 할머니가 30만원을 세 손주에게 용돈으로 나누어 주려고 한다. 첫째와 둘째는 2:1, 둘째와 셋째는 8:6의 비율로 준다면, 셋째가 받는 용돈은 얼마인가?

① 4만원 ② 5만원
③ 6만원 ④ 7만원

제 5 회 울산광역시교육청 교육공무직원 모의고사

21. 거장이는 올해 9살이다. 엄마의 나이는 거장이와 동생의 나이를 합한 값의 두 배이고, 5년 후의 엄마의 나이는 동생 나이의 세 배일 때, 올해 동생의 나이는 몇 살인가?

① 5세
② 6세
③ 7세
④ 8세

22. 다음은 어느 회사의 공장별 제품 생산 및 판매 실적에 대한 자료이다. 이에 대한 설명으로 옳지 않은 것은? (단, 계산 값은 소수점 둘째 자리에서 반올림한다)

(단위 : 대)

공장	2020년 12월	2020년 전체	
	생산 대수	생산 대수	판매 대수
A	25	586	475
B	21	780	738
C	32	1,046	996
D	19	1,105	1,081

- 2021.1.1. 기준 재고 수=2020 전체 생산 대수−2020 전체 판매 대수
- 판매율=(판매대수/생산대수)×100
- 2020.1.1.부터 제품을 생산·판매함

① 2021년 1월 1일 기준, D공장의 재고가 제일 적다.
② 2021년 1월 1일 기준, 재고 수가 가장 많은 공장의 2020년 전체 판매율은 80% 이상이다.
③ 2020년 12월 생산 대수가 가장 많은 공장과 2021년 1월 1일 기준 재고 수가 가장 많은 공장은 동일하다.
④ B공장의 2020년 전체 판매율은 90% 이상이다.

23. 다음은 어느 프랜차이즈 식당 전 매장의 7−8월 판매량을 조사한 표이다. ⓐ~ⓓ까지 들어갈 수로 옳지 않은 것은?

메뉴	7월	8월	합계
김밥	ⓐ	371	584
떡볶이	218		393
라면	347	254	ⓑ
순대	159	ⓒ	
합계	ⓓ	838	

① ⓐ−213
② ⓑ−601
③ ⓒ−40
④ ⓓ−937

24. 다음은 2017년~2020년까지 4년간 생명보험의 전체 수지실적에 관한 자료이다. 이에 대한 설명으로 옳은 것은? (단, 계산 값은 소수점 둘째 자리에서 반올림한다)

(단위 : 십억원)

연도	경과보험료	발생손해액	순사업비
2017	61,472	35,584	10,989
2018	66,455	35,146	12,084
2019	75,096	44,877	13,881
2020	73,561	47,544	13,715

- 손해율 : (총지출액/경과보험료)×100
- 손해율은 보험사의 수지실적을 나타내는 지표
- 총지출액=발생손해액+순사업비

① 4년간 경과보험료는 매년 증가하고 있다.
② 손해율은 2017년에 가장 낮았다.
③ 손해율은 매년 증가하고 있다.
④ 2020년 손해율은 80% 이상이다.

25. 다음은 신용대출의 중도상환에 관한 내용이다. 한동이는 1년 후에 일시 상환하는 조건으로 1000만원을 신용대출 받았다. 그러나 잔여기간이 100일 남은 상태에서 중도상환하려고 한다. 한동이가 부담해야 하는 해약금은 약 얼마인가? (단, 원단위는 절사한다)

• 중도상환해약금 : 중도상환금액×중도상환적용요율×(잔여기간/대출기간)

구분	부동산담보대출	신용/기타 담보대출
적용요율	1.4%	0.8%

• 대출기간은 대출개시일로부터 대출기간만료일까지의 일수로 계산하되, 대출기간이 3년을 초과하는 경우에는 3년이 되는 날을 대출기간만료일로 한다.
• 잔여기간은 대출기간에서 대출개시일로부터 중도상환일까지의 경과일수를 차감하여 계산한다.

① 20,910원 ② 21,910원
③ 22,910원 ④ 23,910원

26. 다음과 같이 종이를 접은 후 구멍을 뚫어 펼친 그림으로 옳은 것은?

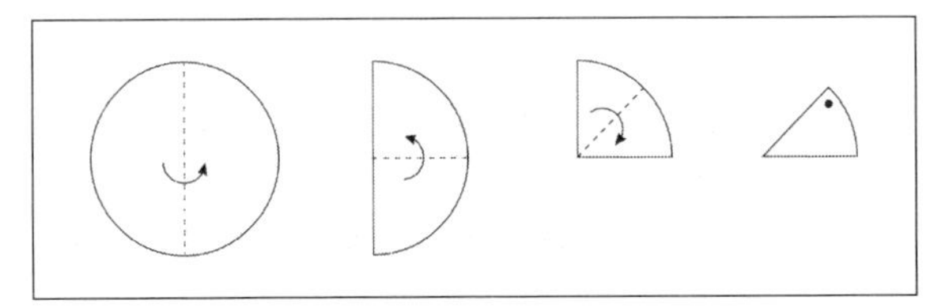

①
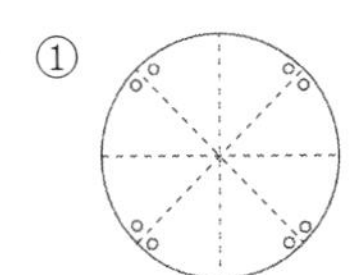
②
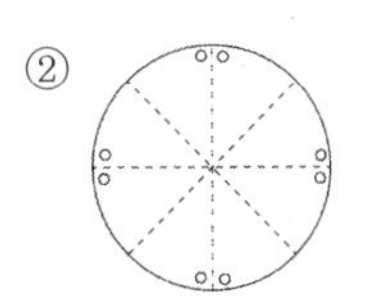
③
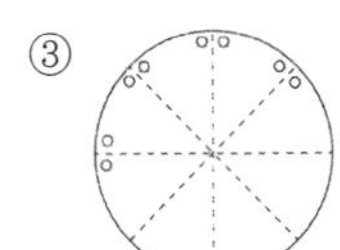
④
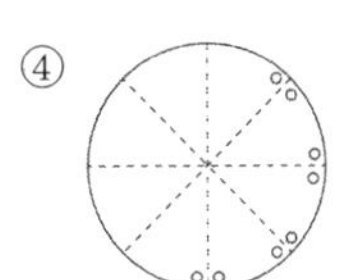

27. 다음 전개도를 접었을 때 나타나는 정육면체의 모양이 아닌 것은?

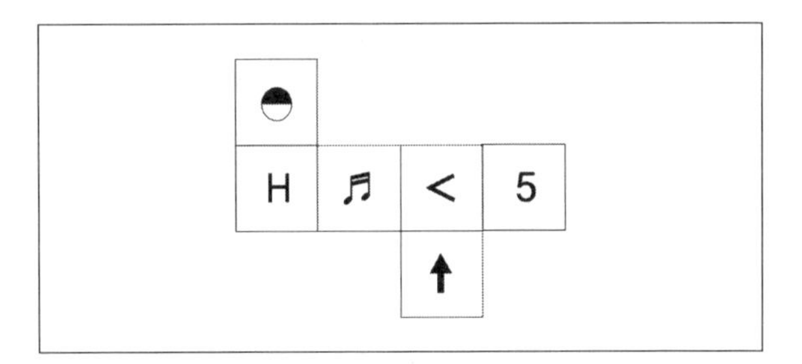

①
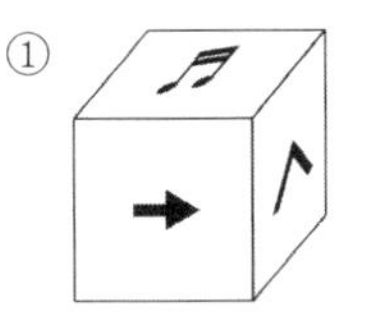
②
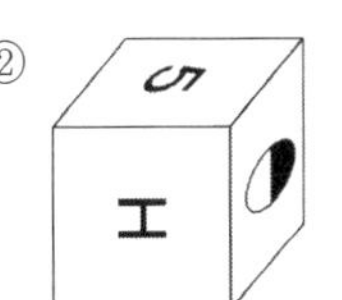
③
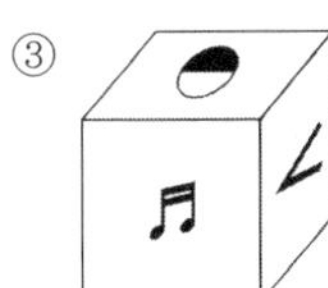
④
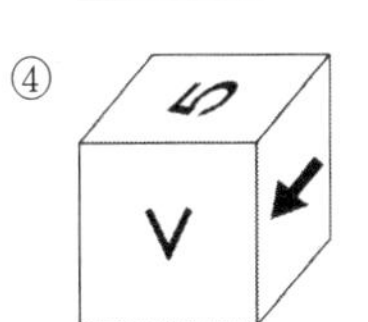

28. 다음의 단면을 참고하여 해당하는 입체도형을 고르시오.

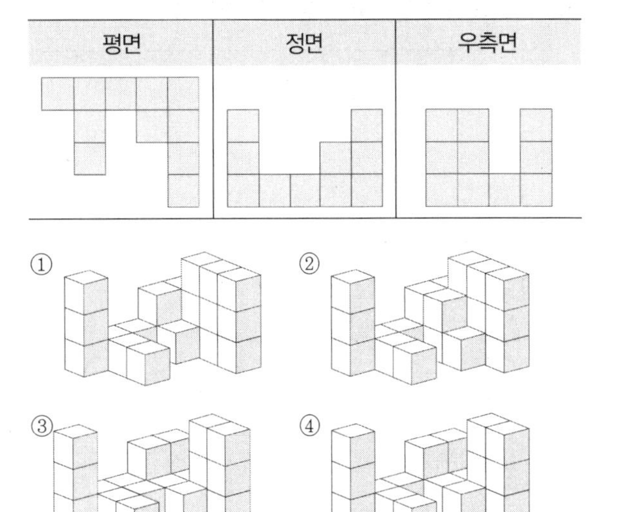

29. 다음 도형을 펼쳤을 때 나타날 수 있는 전개도를 고르시오.

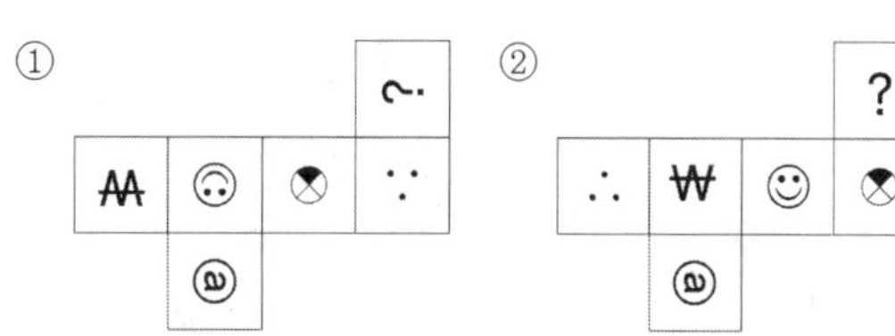

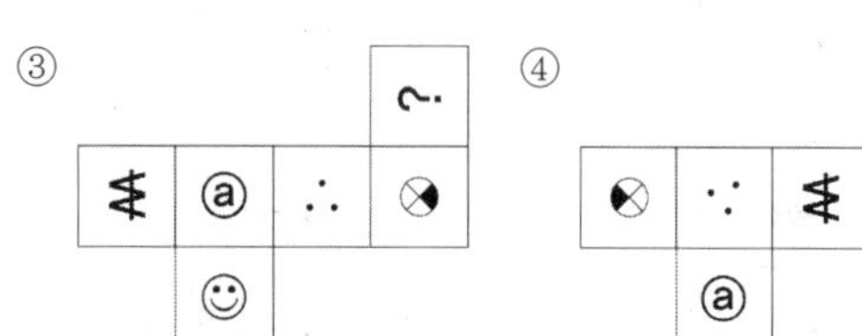

30. 다음 도형과 일치하는 그림을 고르시오.

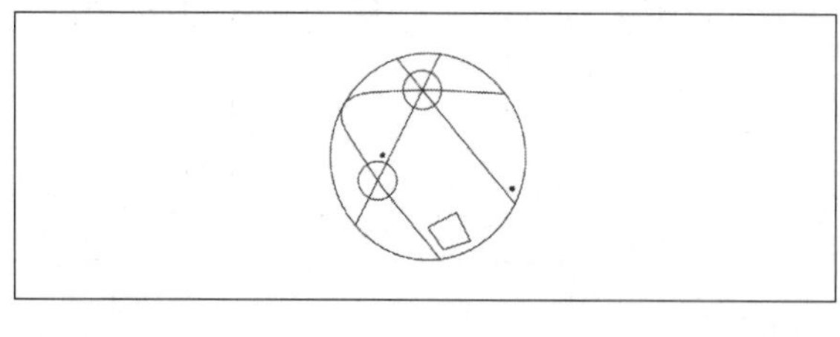

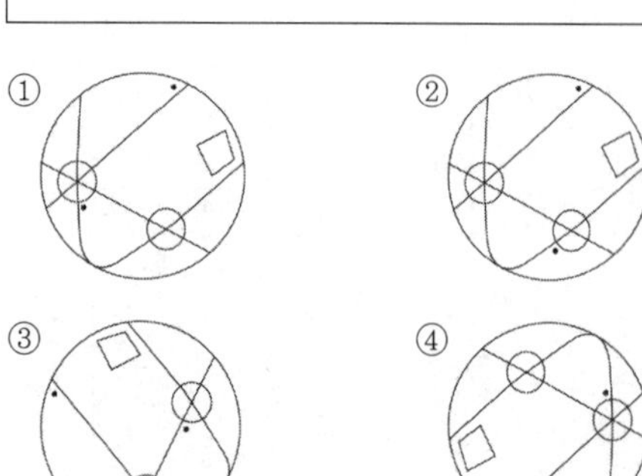

31. 다음 (　)에 들어갈 말로 적절한 것은?

> 합격 : 탈락 = 승리 : (　)

① 경기
② 패배
③ 연승
④ 심판

32. 다음 중 단어의 관계가 다른 하나는?

① 개나리 – 진달래 – 무궁화
② 소나무 – 단풍나무 – 은행나무
③ 의류 – 원피스 – 반바지
④ 샤프 – 볼펜 – 지우개

33. 다음 문제의 〈보기 1〉을 보고 〈보기 2〉에 제시된 문장의 참 · 거짓, 알 수 없음을 판단하면?

보기 1

- 햄버거를 좋아하는 사람은 콜라를 좋아한다.
- 콜라를 좋아하는 사람은 긍정적이다.
- 긍정적인 사람은 많은 사람들과 어울리는 것을 좋아한다.

보기 2

콜라를 좋아하지 않는 사람은 햄버거를 좋아하지 않는다.

① 참
② 거짓
③ 알 수 없음

34. 다음의 명제들을 통해 추론한 설명으로 바른 것은?

- 부산을 가 본 사람은 서울을 가 보았다.
- 서울을 가 본 사람은 여수도 가 보았다.
- 여수를 가 본 사람은 춘천은 가보지 않았다.
- 춘천을 가 본 사람은 대전을 가보지 않았다.

① 서울을 가 본 사람은 대전을 가 보았다.
② 춘천을 가 본 사람은 부산에 가보지 않았다.
③ 대전을 가보지 않은 사람은 여수를 가 보았다.
④ 여수를 가보지 않은 사람은 서울을 가 보았다.

35. 제시된 보기가 모두 참일 때, 다음 중 옳은 것은?

- 가을이 오면 날씨가 선선해진다.
- 유리는 선선한 날씨가 되면 어떤 잘못도 용서해준다.
- 리사는 유리가 가장 아끼는 옷에 과일주스를 쏟았다.

① 유리는 리사에게 과일주스를 다시 사줘야 한다.
② 리사는 가을이 오면 들뜬다.
③ 리사는 가을이 왔을 때 유리에게 용서를 빌면 용서받을 수 있다.
④ 유리는 여름이 되면 포악해진다.

┃36~40┃ 다음 제시된 숫자의 배열을 보고 규칙을 적용하여 들어갈 알맞은 수를 고르시오.

36.

1　17　33　49　65　81　(　)　113

① 95　② 96
③ 97　④ 98

37.

300　150　50　$\frac{25}{2}$　$\frac{5}{2}$　(　)

① $\frac{5}{12}$　② $\frac{15}{2}$
③ $\frac{10}{12}$　④ $\frac{20}{2}$

38.

2　6　3　9　6　(　)　15　45

① 15　② 16
③ 17　④ 18

39.

2　1　3　(　)　7　11　18　30　48

① 3　② 4
③ 5　④ 6

40.

(　)　1　2　4　3　9　4　16　5　25

① 1　② 2
③ 3　④ 4

41. 아래의 기호/문자 무리에 제시되지 않은 것은?

```
ɠ ɢ ɖ ɒ ɟ ʤ œ
ɦ æ ɧ ø ĭ ɯ ʫ
ʣ ʝ ɸ ɾ ɳ ɝ ɬ
ʩ ʞ ʛ ʍ ʉ ɰ ɩ
β ʧ ʬ ʨ ʓ ʁ ɓ
```

① ɝ　　② ʝ
③ ɒ　　④ ʙ

42. 탄산음료 병의 뚜껑을 열어 놓았더니 기체가 많이 빠져 나갔다. 이 기체의 종류와 남은 사이다의 pH 변화로 옳은 것은?

① 산소, 증가
② 산소, 감소
③ 이산화탄소, 증가
④ 이산화탄소, 감소

43. 물체가 운동할 때, 속력과 방향이 함께 변하는 운동은?

① 에스컬레이터의 운동
② 비스듬히 던져 올린 공의 운동
③ 지구 주위를 도는 인공위성의 운동
④ 빗면을 따라 내려가는 수레의 운동

44. 그림과 같이 용수철을 오른쪽으로 당겼을 때, 손에 작용하는 탄력성의 방향은?

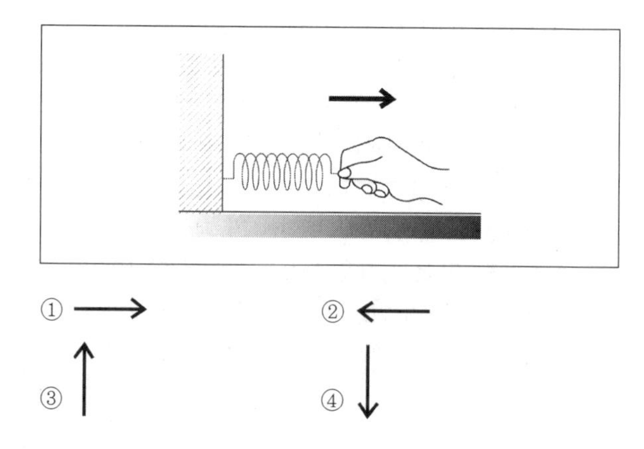

① →　　② ←
③ ↑　　④ ↓

45. 높은 곳에서 물체를 떨어뜨렸을 때, 낙하하는 동안 일정하게 유지되는 것은? (단, 공기의 저항은 무시한다)

① 물체의 속력
② 물체의 위치 에너지
③ 물체의 운동 에너지
④ 물체의 역학적 에너지

SEOWONGAK

울산광역시 교육청
교 육 공 무 직 원
소양평가 모의고사

5회분 봉투모의고사

정답 및 해설

제1회 정답 및 해설

1	②	2	③	3	②	4	②	5	④
6	①	7	④	8	③	9	①	10	②
11	③	12	④	13	③	14	③	15	④
16	③	17	②	18	①	19	③	20	④
21	①	22	②	23	④	24	③	25	①
26	④	27	②	28	②	29	④	30	④
31	②	32	④	33	③	34	②	35	③
36	④	37	②	38	②	39	④	40	①
41	①	42	①	43	②	44	②	45	①

1 | ②

전가 … 잘못이나 책임을 다른 사람에게 넘겨씌움
② 전하 : 책임이나 죄과 따위를 남에게 떠넘김
① 귀선 : 항구로 돌아가거나 돌아오는 배
③ 돈성 : 갑자기 깨침을 얻음
④ 전개 : 열리어 나타남 / 시작하여 벌임

2 | ③

수더분하다 … 성질이 까다롭지 아니하여 순하고 무던하다.
③ 까다롭다 : 성미나 취향 따위가 원만하지 않고 별스럽게 까탈이 많다.
① 강건하다 : 의지나 기상이 굳세고 건전하다.
② 듬직하다 : 사람됨이 믿음성 있게 묵직하다.
④ 깔끔하다 : 성미나 취향 따위가 원만하지 않고 별스럽게 까탈이 많다.

3 | ②

① 비슷하다
③ 지루하다
④ 가름하다

4 | ②

① 방이나 집 따위에 있거나 거처를 정해 머무르게 되다.
② 어떤 일에 돈, 시간, 노력, 물자 따위가 쓰이다.
③ 어떤 물건이나 사람이 좋게 받아들여지다.
④ 어떠한 시기가 되다.

5 | ④

① 좀 더 일찍이
② 일이 잘못되어 흐지부지됨
③ 다른 것 없이 겨우
④ 두말할 것 없이 당연히, 틀림없이 언제나

6 | ①

① 호사다마(好事多魔) : 좋은 일에는 흔히 방해되는 일이 많음. 또는 그런 일이 많이 생김
② 흥진비래(興盡悲來) : 즐거운 일이 다하면 슬픈 일이 닥쳐온다는 뜻으로, 세상일은 순환되는 것임을 이르는 말
③ 전화위복(轉禍爲福) : 재앙과 근심, 걱정이 바뀌어 오히려 복이 됨
④ 파죽지세(破竹之勢) : 대를 쪼개는 기세라는 뜻으로, 적을 거침없이 물리치고 쳐들어가는 기세를 이르는 말

7 | ④

제시된 문장들의 내용을 종합하면 전체 글에서 주장하는 바는 '정당한 사적 소유의 생성'이라고 요약할 수 있다. 이를 위해 사적 소유의 정당성이 기회균등에서 출발한다는 점을 전제해야 하며 이것은 ㈐가 가장 먼저 위치해야 함을 암시한다. 다음으로 ㈎에서 재산의 신규취득 유형을 두 가지로 언급하고 있으며, 이 중 하나인 기소유물의 소유권에 대한 설명이 ㈑에서 이어지며, ㈑단락에 대한 추가 부연 설명이 ㈏에서 이어진다고 보는 것이 가장 타당한 문맥의 흐름이 된다.

8 | ③

본문에서 '모든 자연물이 목적을 추구하는 본성을 타고난다.', '그 본성적 목적의 실현은 운동 주체에 항상 바람직한 결과를 가져온다.'의 부분을 통해 ③이 답임을 알 수 있다.

① 자연물이 타고난 본성에 따라 행동하는 것이 이성을 가지고 행동한다고 볼 수는 없다.

②④ 본문에 언급되지 않은 내용이다.

9 | ①

〈보기〉의 내용은 고대 그리스의 민주주의나 대헌장은 대중 민주주의와는 거리가 멀다는 내용이다. ①의 뒤에 오는 내용은 대중 민주주의의 시작에 대해 말하고 있으므로 〈보기〉의 위치는 ①에 오는 것이 적절하다.

10 | ②

실드(방패)공법은 좀조개가 몸에서 나온 액체로 내장 벽을 단단하게 만들고, 굴이 무너지는 것을 방지하는 원리를 딴 것이므로 ②가 적절하다.

11 | ③

③ '가엽다'는 '가엾다'와 함께 표준어로 쓰인다.

① 아지랭이→아지랑이 ② 상판때기→상판대기 ④ 가벼히→가벼이

12 | ④

④ '때맞추다'는 한 단어이므로 붙여 쓴 것이 맞다. '처리해 나갔다'에서 '나가다'는 '앞말이 뜻하는 행동을 계속 진행함'을 뜻하는 보조동사로 본용언과 띄어 쓰는 것이 원칙이다.

① '보아하니'는 부사로, 한 단어이므로 붙여 쓰기 한다. 유사한 형태로 '설마하니, 멍하니' 등이 있다.

② '난생처음'은 한 단어이므로 붙여 쓰기 한다.

③ '별∨볼∨일이'와 같이 띄어쓰기 한다.

13 | ③

'되~'에 '아/어라'가 붙는 말의 줄임말로 쓰일 경우는 '돼'가 올바른 표현이며, '(으)라'가 붙으며 '아/어'가 불필요한 경우에는 그대로 '되'를 쓴다. 따라서 제시된 각 문장에는 다음의 어휘가 올바른 사용이다.

㉠ '되어야' 혹은 '돼야'

㉡ '되기'

㉢ '되어' 혹은 '돼'

㉣ '되어야' 혹은 '돼야'

14 | ③

남자가 한 명도 선출되지 않을 확률은 여자만 선출될 확률과 같은 의미이다.

$$\frac{{}_5C_2}{{}_{12}C_2}=\frac{5\times4}{12\times11}=\frac{5}{33}$$

15 | ④

물건의 원가를 a라 하자.

이때 정가는 $\left(1+\frac{x}{100}\right)a$이므로, 문제의 조건에 의하면

$$\left(1-\frac{x}{100}\right)\left(1+\frac{x}{100}\right)a=\left(1-\frac{4}{100}\right)a$$

$$\Rightarrow\left(1-\frac{x}{100}\right)\left(1+\frac{x}{100}\right)=\frac{96}{100}$$

$$\Rightarrow 1-\left(\frac{x}{100}\right)^2=\frac{96}{100}$$

$$\Rightarrow\left(\frac{x}{100}\right)^2=\frac{4}{100}$$

$$\Rightarrow\frac{x}{100}=\frac{2}{10}$$

$$\therefore\ x=\frac{2}{10}\times100=20$$

16 | ③

터널을 완전히 통과한다는 것은 터널의 길이에 열차의 길이를 더한 것을 의미한다. 따라서 열차의 길이를 x라 하면, '거리 = 시간 × 속력'을 이용하여 다음과 같은 공식이 성립한다.

$(840 + x) \div 50 = 25$, $x = 410$m가 된다. 이 열차가 1,400m의 터널을 통과하게 되면 $(1,400 + 410) \div 50 = 36.2$초가 걸리게 된다.

17 | ②

㉠ 한 개 조의 경기 수는 6번이므로, $6 \times 8 = 48$이다.

㉡ 토너먼트 경기 수는 $16 - 1 = 15$이며, 이 외에도 3 · 4위전 경기를 1번 한다.

$\therefore 48 + 15 + 1 = 64$

18 | ①

시험을 치른 여자사원의 수를 x라 하고 (여자사원의 총점)+(남자사원의 총점)=(전체 사원의 총점)이므로

$76x + 72(100 - x) = 73 \times 100$

식을 간단히 하면 $4x = 100$, $x = 25$

∴ 여자사원은 25명이다.

19 | ③

① 독일 정부가 부담하는 연구비 :
$6,590 + 4,526 + 7,115 = 18,231$
미국 정부가 부담하는 연구비 :
$33,400 + 71,300 + 28,860 = 133,560$

② 정부부담 연구비 중에서 산업의 사용 비율이 가장 높은 것은 미국이며, 가장 낮은 것은 일본이다.

④ 미국 대학이 사용하는 연구비 : $28,860 + 2,300 = 31,160$
일본 대학이 사용하는 연구비 : $10,921 + 458 = 11,379$

20 | ④

④ 1930년에 비해 1931년에 소작쟁의 발생건수가 증가한 지역은 충청도 한 곳 뿐이다.

21 | ①

① 1930년 : $\frac{13,011}{726} = 17.92$

② 1933년 : $\frac{10,337}{1,977} = 5.22$

③ 1934년 : $\frac{22,454}{7,544} = 2.97$

④ 1935년 : $\frac{59,019}{25,834} = 2.28$

22 | ②

② 수출량과 수입량 모두 상위 10위에 들어있는 국가는 네덜란드와 중국이다.

23 | ④

① 고혈압 유병률은 2020년에 감소하였고, 당뇨 유병률은 2016년과 2019년에 감소하였다.

② 고혈압 유병률은 2015년과 2020년에는 1.7%, 2018년에는 1.6% 변동이 나타났다.

③ 당뇨 유병률의 변동은 2020년에 2%였다.

24 | ③

① 국민들이 권력이나 돈을 이용해 분쟁을 해결하려는 것을 볼 때 준법 의식이 약하다는 것을 알 수 있다.

② 권력이 법보다 분쟁 해결 수단으로 많이 사용되고, 권력이 있는 사람이 처벌받지 않는 경향이 있다는 것은 법보다 권력이 우선함을 의미한다.

④ 악법도 법이라는 사고는 법을 준수해야 한다는 시각이므로 자료의 결과와 모순된다.

25 | ①

180˚ 회전시켰을 때 ①과 같은 모양이 된다.

26 | ④

① 평면, 정면, 측면 모두 제시된 모양과 다르다.
② 평면, 정면의 모양이 제시된 모양과 다르다.
③ 평면, 측면의 모양이 제시된 모양과 다르다.

27 | ②

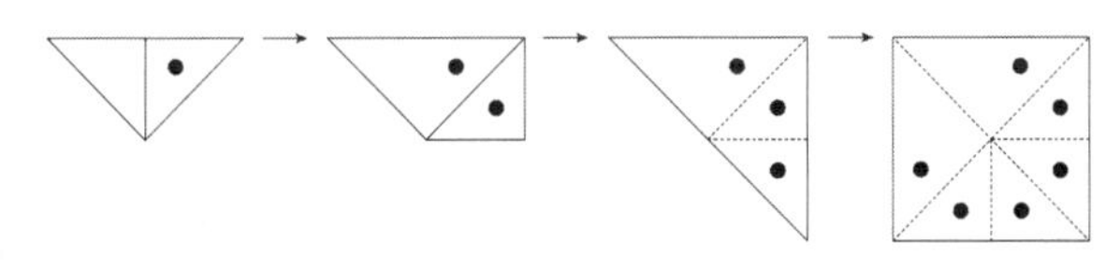

28 | ②

제시된 전개도에서 맞닿는 면을 표시하면 다음과 같다.

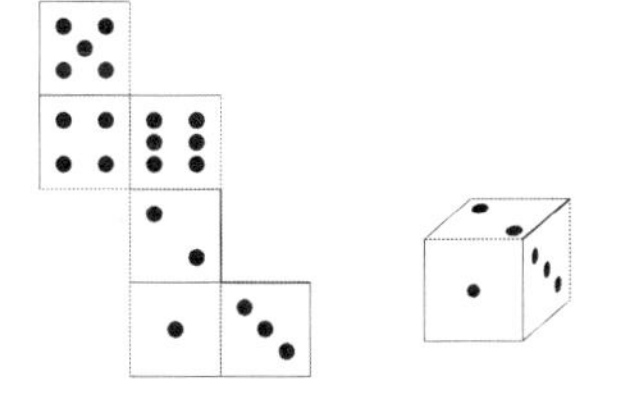

29 | ④

〈보기〉에 제시된 블록의 총 개수는 18개이다. 도형 A의 블록 수가 6개이고, 도형 B의 블록 수가 5개이므로 도형 C는 7개의 블록으로 이루어진 모양이어야 한다. 따라서 ①, ②, ③은 제외하고 블록의 모양을 판별하도록 한다. 세 개의 블록으로 이루어지는 면에서 가운데 블록이 비어있는 모양이 필요하므로 답은 ④번이다.

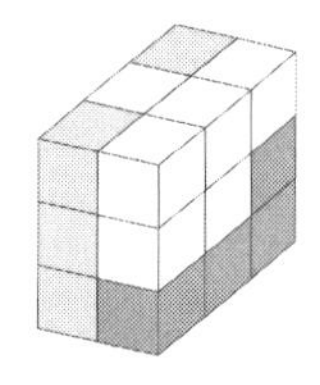

30 | ④

제시된 수열은 첫 번째 제시된 수에 일의 자릿수와 십의 자릿수를 더하면 다음 수가 되는 규칙을 가지고 있다. 따라서 빈칸은 79+7+9=95가 된다.

31 | ②

제시된 수열은 ×4와 −4의 수식이 반복해서 행해지고 있다.
2 (×4) 8 (−4) 4 (×4) 16 (−4) 12 (×4) 48 (−4) 44

32 | ④

주어진 식은 &의 앞과 뒤의 수를 곱한 후 48에서 뺀 값이다. 따라서 마지막 식을 풀면 48−3×9=21이다.

33 | ③

알파벳을 순서대로 나열했을 때 처음 제시된 C부터 3의 배수로 증가하는 규칙을 가지고 있다. 빈칸에는 U이후부터 12번째 순서인 G이다.

34 | ②

처음 문자에 10이 더해진 후 2씩 줄어들고 있다.

35 | ③

원의 나누어진 한 부분에 위치한 수의 합은 43이다. 따라서 $19+12+x=43$이므로 빈칸에 들어갈 수는 12이다.

36 | ④

주어진 도형의 삼각형은 시계방향으로 15°씩 회전하고 있고 마름모는 반시계방향으로 개수가 증가하고 있다.

37 | ②

오늘은 운동장이 조용하지 않다고 했으므로 오늘은 복도가 더럽지 않으며, 비가 오는 날이 아니다. 또한 운동장이 조용한 날이 아니므로 축구부의 훈련이 없는 날도 아니다.

38 | ②

영수와 철수는 둘 사이만 비교가 가능하며, 다른 이들과 비교할 수 없다. 간략하게 나타내면 다음과 같다.

첫 번째 조건에 의해 : 영수 > 철수

나머지 조건에 의해 : 준수 > 준희=수현 > 지현

39 | ④

④ 장미를 좋아하는 사람은 감성적이고 감성적인 사람은 노란색을 좋아하므로 장미를 좋아하는 사람은 노란색을 좋아한다.

40 | ①

뱀은 단 사과만 좋아하므로 '작은 사과는 달지 않다'는 전제가 있어야 결론을 도출할 수 있다.

41 | ①

망 명 소 원 해 성 – e f a c h j

42 | ①

원 성 특 전 해 결 – c j l b h d

43 | ②

② 장도리와 가위는 지레의 원리를 이용하여 작은 힘을 들여 큰 힘을 내게 할 때 사용한다.

44 | ②

② 굴절 : 빛이 성질이 서로 다른 물질의 경계면을 지날 때, 그 경계면에서 진행 방향이 꺾이는 현상
① 직진 : 빛이 곧게 나아가는 현상
③ 반사 : 빛이 수면이나 거울과 같은 물체에 부딪혀 되돌아가는 현상
④ 분산 : 빛이 여러 가지 색으로 나누어지는 현상

45 | ①

식물의 녹색 잎은 광합성을 하고 기공을 통해 수증기를 배출하고 기체를 교환한다.

제2회 정답 및 해설

1	④	2	①	3	①	4	①	5	①
6	③	7	③	8	④	9	③	10	④
11	①	12	④	13	③	14	④	15	③
16	④	17	③	18	③	19	②	20	④
21	②	22	④	23	①	24	③	25	①
26	④	27	④	28	①	29	④	30	②
31	②	32	②	33	①	34	①	35	①
36	②	37	①	38	②	39	①	40	④
41	③	42	④	43	③	44	③	45	③

1 | ④

돈재 … 때에 따라 사정과 형편을 보아 적절하게 대응하는 재능

④ 기지 : 경우에 따라 재치 있게 대응하는 지혜

① 경향 : 현상이나 사상, 행동 따위가 어떤 방향으로 기울어짐

② 운집 : 구름처럼 모인다는 뜻으로, 많은 사람이 모여듦을 이르는 말

③ 진보 : 정도나 수준이 나아지거나 높아짐

2 | ①

경각 … 눈 깜빡할 사이. 또는 아주 짧은 시간

① 오래 : 시간이 지나가는 동안이 길게

② 호외 : 특별한 일이 있을 때에 임시로 발행하는 신문이나 잡지

③ 실각 : 발을 헛디딤. 또는 세력을 잃고 지위에서 물러남

④ 경질 : 어떤 직위에 있는 사람을 다른 사람으로 바꿈

3 | ①

② 용변하다

③ 동동거리다

④ 사부작거리다

4 | ①

지다 … 물건을 짊어서 등에 얹다.

① 물건을 짊어서 등에 얹다.

② 해나 달이 서쪽으로 넘어가다.

③ 내기나 시합, 싸움 따위에서 재주나 힘을 겨루어 상대에게 꺾이다.

④ 어떤 현상이나 상태가 이루어지다.

5 | ①

제시된 단어 중 가을, 달리기, 만국기를 통해 '운동회'를 유추해볼 수 있다.

6 | ③

㉡ 동물들의 사소한 행동의 예 → ㉠ 동물들은 앞선 예의 행동으로 환경을 변형시킴 → ㉣ 이러한 동물들의 방식에 대한 통념 → ㉢ 기존 통념의 맹점

7 | ③

주어진 글은 무리하게 운동을 하는 것보다 자신의 체력에 맞는 운동을 하는 것이 바람직하다고 말하고 있다. 따라서 빈칸에는 ③이 적절하다.

8 | ④

④ 총의 제도는 회원국 간 정치 · 경제적 영향력의 차이를 보완하기 위해 도입된 제도이다.
① 첫 번째 문장을 통해 알 수 있다.
② 두 번째 단락에서 총의 제도로 인한 문제점과 더불어 해결 방안으로 모색되어진 방식을 제시하고 있다.
③ 총의 제도에 따르면 회원국이 의사결정 회의에 불참하더라도 그 불참은 반대가 아닌 찬성으로 간주된다.

9 | ③

'슬픔의 나무'에 적혀있는 다른 사람들의 이야기를 알고 나면 자신이 살았던 삶이 가장 덜 슬프고 덜 고통스러웠음을 깨닫는다는 내용이므로, ③의 결론을 알 수 있다.

10 | ④

④ '수나 분량, 시간 따위를 본디보다 많아지게 하다'라는 뜻의 '늘리다'가 적절하게 쓰였다.
① '가능한'은 그 뒤에 명사 '한'을 수식하여 '가능한 조건하에서'라는 의미로 사용한다. '가능한 빨리'와 같이 부사가 이어지는 것은 적절하지 않다.
② '아니하다(않다)'는 앞 용언의 품사를 따라가므로 '효과적이지 않은'으로 적는다.
③ '~에/에게 뒤지다'와 같이 쓰는데, '그들'이 사람이므로 '그들<u>에게</u>'로 쓴다.

11 | ①

'있다'의 어간 '있-'에 '어떤 일에 대한 원인이나 근거'를 나타내는 연결 어미 '-(으)매'가 결합한 형태이다.
② '선보이-'+'-었'+'-어도' → <u>선보이었</u>어도 → <u>선뵀</u>어도
③ 한글 맞춤법 제40항에 따르면 어간의 끝음절 '하'가 아주 줄 적에는 준 대로 적는다. 따라서 '야속하다'는 '야속다'로 줄여 쓸 수 있다.
④ '마구', '많이'의 뜻을 더하는 접두사 '처-'를 쓴 단어이다. '(~을) 치다'의 '치어'가 준 말인 '쳐'가 오지 않도록 한다.

12 | ④

① 초콜렛 → 초콜릿
② 컨셉 → 콘셉트
③ 악세사리 → 액세서리

13 | ③

주어진 글에서는 하나의 지식이 탄생하여 다른 분야에 연쇄적인 영향을 미치게 되는 것을 뇌과학 분야의 사례를 통해 조명하고 있다. 이러한 모습은 학문이 그만큼 복잡하다거나, 서로 다른 학문들이 어떻게 상호 연관을 맺는지를 규명하는 것이 아니며, 지식이나 학문의 발전은 독립적인 것이 아닌 상호 의존성을 가지고 있다는 점을 강조하는 것이 글의 핵심 내용으로 가장 적절할 것이다.

14 | ④

$\frac{25}{60}=\frac{x}{15}+\frac{x}{10}=\frac{10x}{60}$, $x=2.5$. 운동장 한 바퀴는 $2x=5\text{km}$이다.

15 | ③

백과사전의 무게를 $3a$, 국어사전의 무게를 $2a$라 하고, 처음 수레에 실려 있던 책의 개수를 b라 할 때, 백과사전을 옮긴 후 수레에 실린 책의 무게는
$3a(b-10)=2ab+10\times 3a$이다.
양변에 a를 나눠주고 식을 정리하면 $b=60$(권)이다.

16 | ④

소금물 A의 농도를 $a\%$, B의 농도를 $b\%$라 할 때,

원래 만들려던 소금물은 $\frac{a+3b}{100+300}\times 100=15\%$이고,

실수로 만든 소금물의 농도는 $\frac{3a+b}{300+100}\times 100=35\%$이다.

두 식을 정리하면 $\begin{cases} a+3b=60 \\ 3a+b=140 \end{cases}$ 이다.

$\therefore a=45\%,\ b=5\%$

17 | ③

A가 하루 동안 하는 일의 양을 x라고 하고, B가 하루 동안 하는 일의 양을 y라고 하면

$\begin{cases} 3x+5(x+y)=1 \\ 2y+4(x+y)=1 \end{cases}$

$\begin{cases} 8x+5y=1 \\ 4x+6y=1 \end{cases}$

$\begin{cases} 8x+5y=1 \\ 8x+12y=2 \end{cases}$

$7y=1, y=1/7$

B가 혼자서 한다면 7일 동안 해야 한다.

18 | ③

48과 60의 최대공약수는 12이다. 하지만, 말뚝 사이의 간격이 10m 이하여야 하므로 48과 60의 공약수를 구하면 1, 2, 3, 4, 6, 12이다. 10 이하이지만 가장 큰 공약수는 6이므로 말뚝을 6m 간격으로 배치한다.

말뚝의 개수를 구하면 $2\times\{(48\div 6)+(60\div 6)\}=36$이다.

19 | ②

65세 이상 인구수는 크게 변동이 없는 데 비해, 65세 미만 인구수는 5만여 명에서 64만여 명으로 크게 증가한 것을 알 수 있다.

① 65세 미만 인구수 역시 매년 꾸준히 증가하였다.

③ 2018년과 2019년에는 전년보다 감소하였다.

④ 2018년 이후부터는 5% 미만 수준을 계속 유지하고 있다.

20 | ④

① 소득의 증가와 소비지출의 증가가 반드시 일치하지는 않는다.

② 월평균 소득과 평균소비성향은 서로 반비례적인 관계를 보이지 않는다.

③ 우리나라 도시 근로자 가구는 대개 소득의 70~76% 정도를 지출하고 있다.

21 | ②

연도별 농가당 평균 농가인구의 수는 비례식을 통하여 계산할 수 있으나, 성인이나 학생 등의 연령대별 구분은 제시되어 있지 않아 확인할 수 없다.

① 제시된 농가의 수에 대한 산술평균으로 계산할 수 있다.

③ 총인구의 수를 계산할 수 있으므로 그에 대한 남녀 농가인구 구성비도 확인할 수 있다.

④ 증감내역과 증감률 역시 해당 연도의 정확한 수치를 통하여 계산할 수 있다.

22 | ④

① 각 항목별로 모두 결과가 다르기 때문에 단언할 수 없다.

② 효과성 항목에서 '약간 불만족'으로 응답한 전문가 수는 '매우 불만족'으로 응답한 정책대상자 수보다 적다.

③ 체감만족도 항목에서 만족비율은 정책대상자가 31%, 전문가가 30.3%로 정책대상자가 전문가보다 높다.

23 | ①

매우 만족하는 사람 : 294 × 0.048 = 14.112 → 14명

약간 만족하는 사람은 : 294 × 0.282 = 82.908 → 83명

24 | ③

㉠ 2019년 말 엔화 대비 원화 환율 : $\frac{1,200.5}{120.01} \fallingdotseq 10$

㉡ 2020년 말 엔화 대비 원화 환율 : $\frac{1,198.5}{108.05} \fallingdotseq 11$

25 | ①

② 평면과 정면의 모양이 제시된 모양과 다르다.
③ 정면과 측면의 모양이 제시된 모양과 다르다.
④ 평면과 측면의 모양이 제시된 모양과 다르다.

26 | ④

④

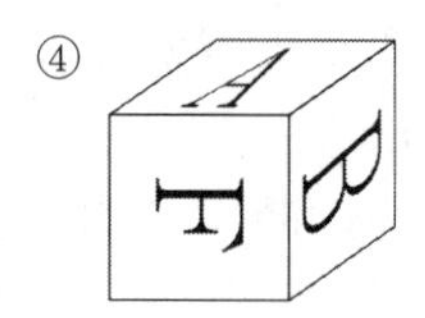

27 | ④

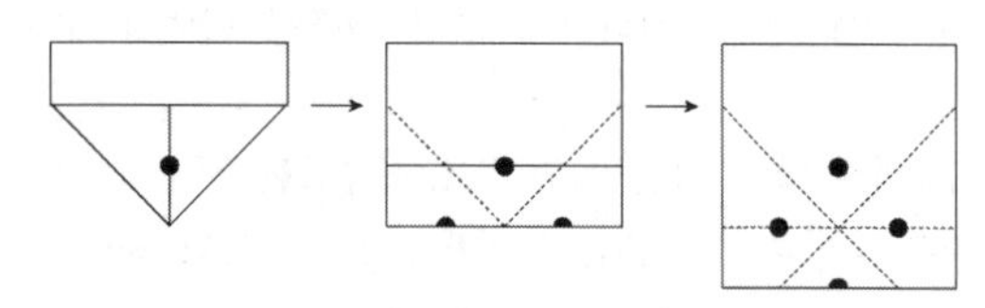

28 | ①

제시된 전개도에서 맞닿는 면을 표시하면 다음과 같다.

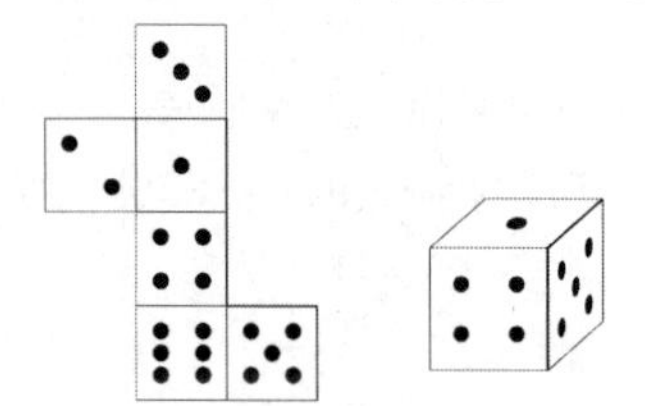

29 | ④

〈보기〉에 제시된 블록의 총 개수는 18개이다. 도형 A의 블록 수가 7개이고, 도형 B의 블록 수가 5개이므로 도형 C는 6개의 블록으로 이루어진 모양이어야 한다.
① 블록의 높이는 최대 3개까지 쌓을 수 있다.
②③ 블록의 개수가 많거나 적다.

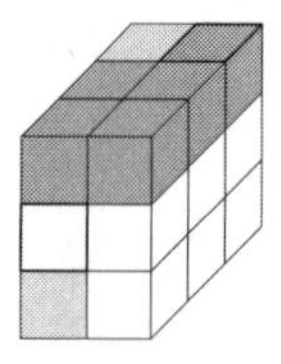 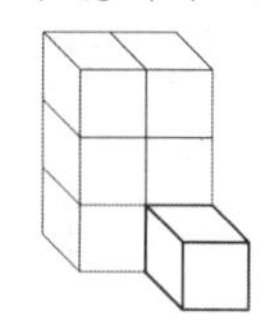 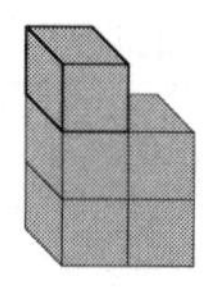

30 | ②

일의 자리에 온 숫자를 그 항에 더한 값이 그 다음 항의 값이 된다.
$78 + 8 = 86$, $86 + 6 = 92$, $92 + 2 = 94$, $94 + 4 = 98$, $98 + 8 = 106$, $106 + 6 = 112$

31 | ②

제시된 수열은 첫 번째 수에서부터 $(\times 3)$과 $(+3)$이 반복해서 수행되고 있다. 따라서 빈칸은 $39 \times 3 = 117$이 된다.

32 | ②

첫 번째 수를 두 번째 수로 나눈 후 그 몫에 1을 더하고 있다.
$20 \div 10 + 1 = 3$, $30 \div 5 + 1 = 7$, $40 \div 5 + 1 = 9$

33 | ①

주어진 식을 @의 규칙은 @ 앞의 수에 뒤의 수를 나눈 값의 소수점 첫째 자리가 답이 되는 것이다. 따라서 마지막 식을 풀면 (19@21)@15=(19÷21=0.904...=9), 9@15=6이다.

34 | ①

한글의 자음을 순서대로 나열했을 때 처음 제시된 문자부터 소수가 순서대로 더해지는 규칙을 가지고 있다. ㄱ(+2)ㄷ(+3)ㅂ(+5)ㅋ(+7)ㄹ(+11)ㄱ 이므로 빈칸에는 ㄱ이 온다.

35 | ①

원의 나누어진 한 부분에 위치한 수의 곱은 2700이다. 따라서 $4 \times 9 \times x = 2700$이므로 빈칸에 들어갈 수는 75이다.

36 | ②

주어진 도형은 색칠된 도형은 시계 방향으로 돌아가며 색칠된 도형은 다음 순서에 개수가 하나씩 늘어나는 규칙을 가지고 있다. 마지막 도형에서 하트에 색칠이 되어 있으므로 다음 도형에서는 하트는 1개 늘어나며 다음 순서인 사각형이 색칠되어야 한다.

37 | ①

돌고래는 무리지어 움직이는 동물이며 무리지어 움직이는 모든 동물은 공동 육아를 한다고 했으므로 ①은 항상 참이다.

38 | ②

주어진 명제에 따르면 고양이의 나이는 도롱이 〉 율무 〉 범이 〉 설기 순이다.

39 | ①

'모든 사원은 사전교육을 받는다.'라는 전제가 있어야 결론이 참이 된다.

40 | ④

주어진 정보를 통해 진급시험에서 떨어진 사람은 A, B, E, G이고, C와 D 중 1명이 진급했지만 누가 진급했는지는 알 수 없으며, 진급이 확실한 사람은 F이다.

41 | ③

<u>마을</u>만 3개가 제시되어 있다.

42 | ④

마루 3개, 마개 2개, 마부 2개가 제시되어 있다.

43 | ③

압력이 일정할 때, 기체의 부피는 온도가 높아지면 증가하고, 온도가 낮아지면 감소한다.
온도가 일정할 때, 기체의 부피는 압력이 증가하면 감소하고, 압력이 감소하면 증가한다.

44 | ③

마찰력이란 물체가 다른 물체에 접촉하면서 운동을 시작하려고 할 때, 혹은 운동하고 있을 때, 접촉면에 생기는 운동을 방해하는 힘을 말한다.

45 | ③

㉠ : 전도
㉡㉣㉤ : 복사
㉢ : 대류
※ 열의 이동방법
- 전도 : 물체를 이루는 입자의 운동이 이웃한 입자에 차례로 전달되어 열이 이동하는 방법. 주로 고체에서 일어나는 열의 이동방법
- 대류 : 기체나 액체를 이루는 입자가 직접 이동하여 열을 전달하는 방법. 액체 또는 기체에서 일어나는 열의 이동방법
- 복사 : 물질의 도움 없이 직접 열이 전달되는 방법. 주로 공기 중이나 진공상태에서 일어난다.

제3회 정답 및 해설

1	①	2	②	3	③	4	①	5	④
6	①	7	①	8	③	9	②	10	④
11	①	12	②	13	③	14	③	15	③
16	④	17	②	18	③	19	①	20	②
21	④	22	④	23	④	24	③	25	②
26	③	27	①	28	④	29	②	30	③
31	①	32	④	33	③	34	①	35	③
36	②	37	④	38	③	39	①	40	②
41	③	42	④	43	②	44	④	45	③

1 | ①

수탁 … 다른 사람의 의뢰나 부탁을 받음. 또는 그런 일
① 위탁 : 남에게 사물이나 사람의 책임을 맡김
② 결탁 : 마음을 결합하여 서로 의탁함
③ 유탁 : 죽은 사람이 남긴 부탁
④ 연탁 : 연단에 놓는 책상

2 | ②

모순 … 어떤 사실의 앞뒤, 또는 두 사실이 이치상 어긋나서 서로 맞지 않음
① 역설 : 어떤 주의나 주장에 반대되는 이론이나 말
② 당착 : 말이나 행동 따위의 앞뒤가 맞지 않음
③ 치기 : 어리고 유치한 기분이나 감정
④ 점철 : 관련이 있는 상황이나 사실 따위가 서로 이어짐

3 | ③

갈다
㉠ 날카롭게 날을 세우거나 표면을 매끄럽게 하기 위하여 다른 물건에 대고 문지르다.
㉡ 이미 있는 사물을 다른 것으로 바꾸다.
㉢ 쟁기나 트랙터 따위의 농기구나 농기계로 땅을 파서 뒤집다.
㉣ 어떤 직책에 있는 사람을 다른 사람으로 바꾸다

4 | ①

'째째하다'는 잘못된 표기이다.
쩨쩨하다 : 사람이 잘고 인색하다.

5 | ④

① 설겆이 → 설거지
② 몇 일 → 며칠
③ 바램 → 바람

6 | ①

허튼 짓 → 허튼짓

7 | ①

되다 … 다른 것으로 바뀌거나 변하다.
② 어떤 때나 시기, 상태에 이르다.
③ 어떠한 심리적 상태에 놓이다.
④ 일이 잘 이루어지다.

8 | ③

③ 어떤 사회에 새로운 사상이나 문화를 뿌리박게 하다.

9 | ②

눈사람, 장갑, 붕어빵을 통해 '겨울'을 연상할 수 있다.

10 | ④

한라산, 바람, 우도를 통해 '제주도'를 연상할 수 있다.

11 | ①

앞 문장에서 스마트폰에 빠져있는 현상은 학생들의 삶에 도움이 되지 않는다고 하였으므로 뒷내용은 그것에 대한 설명, 문제점 제시가 나온다.

12 | ②

제시된 지문은 독서는 자전거 타기와 비슷해서 주체가 적극적으로 개입하여야 한다는 결론을 내는 방식으로 서술하고 있다.

① 분석
② 유추
③ 대조
④ 분류

13 | ③

오래 널리 쓰여 고유어와 같은 취급을 받는 외래어는 귀화어라 하기도 한다.

14 | ③

없어도 되는 일, 잘라 내는 일, 쌀로 밥을 짓는 일은 모두 소비의 주체 · 객체로서 인간이 하는 일이다.

15 | ③

온라인과 오프라인을 동시에 활용한 홍보는 지문에서 언급되지 않았다.

16 | ④

$16{,}000+2{,}000x > 21{,}500+1{,}500x$
$500x > 5{,}500$
$x > 11$

따라서 12개월째부터 누나의 잔액이 동생의 잔액보다 많아진다.

17 | ②

섞은 소금물의 양=250−150=100(g)
섞은 소금물의 농도를 x라고 하면,

$$\frac{6}{100}\times 150+\frac{x}{100}\times 100=\frac{8}{100}\times 250$$

$x=20-9=11(\%)$

18 | ③

5.5t=5,500kg 이므로 5,500÷20=275(배)

19 | ①

두 동네 사이의 거리를 x라고 하면,

$$\frac{x}{5}+\frac{x}{3}=1\rightarrow\frac{3x+5x}{15}=1$$

$$\therefore x=\frac{15}{8}(\text{km})$$

20 | ②

가로 세로의 합이 각각 45이므로 ( )에는 6이 들어간다.

21 | ④

1회 응시인원

$\frac{605}{x}\times 100=43.1\rightarrow 43.1x=60{,}500$(명)

$\therefore x=1{,}403$

3회 합격률

$\frac{540}{852}\times 100=63.4(\%)$

22 | ④

$\frac{x}{1{,}422}\times 100=34$

$100x=48{,}348$

$\therefore x=483$(명)

23 | ④

$\frac{132}{400}\times 100=33(\%)$

24 | ③

A에 대해 응답한 사람 중 '상'을 준 사람의 비율

$\frac{34}{34+38+50}\times 100 \fallingdotseq 27.9(\%)$

B에 대해 응답한 사람 중 '중'을 준 사람의 비율

$\frac{11}{73+11+58} \fallingdotseq 7.7(\%)$

$\therefore 27.9+7.7=35.6(\%)$

25 | ②

$\frac{10}{21+14+10+5+8+15}\times 100 \fallingdotseq 13.7(\%)$

26 | ③

① 원의 위치가 다름

② 곡선의 위치가 다름

④ 곡선이 굽은 방향이 다름

27 | ①

제시된 도형을 펼치면 ①과 같은 모양이 된다.

28 | ④

① 위에서 내려다 봤을 때의 단면

② ⤻회전했을 때의 단면

③ ⤺회전했을 때의 단면

29 | ②

제시된 두 도형으로 나올 수 없는 모양이다.

30 | ③

제시된 순서대로 접어 구멍을 뚫으면 ③과 같은 모양이 나온다.

31 | ①

'필적하다'는 '능력이나 세력이 엇비슷하여 서로 맞서다'라는 뜻으로 '비적하다'와 유의 관계이다. '개회하다'는 '잘못을 뉘우치고 고치다'라는 뜻으로 '회개하다'와 유의 관계이다.

32 | ④

①②③보기가 한 가지 주제로 대등관계의 단어들이 나열한 반면, ④는 상위어인 물고기가 제시되고 그 하위어인 넙치, 숭어가 제시되어있다.

33 | ③

밤을 새워 공부하면 성적이 오르고, 30분 휴식하면 효율이 오른다고 했으므로, 한철이는 시험점수가 대폭 올랐을 것이라는 진술이 결론으로 적절하다.

34 | ①

조건에 따르면 경시대회 최종순위는 C－D－A－E－B이다.

35 | ③

〈보기 2〉의 문장은 〈보기 1〉 첫 번째 문장의 이 명제이다. 본 명제가 참이었다고 해도 이 명제의 참·거짓은 알 수 없다.

36 | ②

제시된 수열은 각 항에 3의 배수가 더해지는 규칙을 가지고 있다.

$\therefore$ $\underline{7}$ $(+3\times1)$ $\underline{10}$ $(+3\times2)$ $\underline{16}$ $(+3\times3)$ $\underline{25}$ $(+3\times4)$ $\underline{37}$ $(+3\times5)$ $\underline{52}$ $(+3\times6)$ $\underline{70}$

37 | ④

제시된 수열의 규칙은 세 번째 항부터 '(전 전항×전항)－전항'이다. 숫자를 대입해보면 다음과 같다.

$\underline{3}=(2\times3)-3$, $\underline{6}=(3\times3)-3$, $\underline{12}=(3\times6)-6$, $\underline{60}=(6\times12)-12$

$\therefore (\quad)=(12\times60)-60=660$

38 ③

제시된 수열의 규칙은 각 항 바로 앞 분수의 $\frac{\text{분모}-\text{분자}}{\text{분모}+\text{분자}}$이다.

$\therefore \frac{44-16}{44+16}=\frac{28}{60}$

39 | ①

제시된 수열은 첫 항부터 ×6과 ÷2가 반복 수행되는 규칙을 가지고 있다. 나누기 2를 할 차례이므로 (　)는 27이다.

40 | ②

제시된 수열은 2^n을 각 항에 더해가는 규칙을 가지고 있다.

$\underline{3}$ $(+2^1)$ $\underline{5}$ $(+2^2)$ $\underline{9}$ $(+2^3)$ $\underline{17}$ $(+2^4)$ $\underline{33}$ $(+2^5)$ $\underline{65}$

$\therefore (\quad)=65+2^6=129$

41 | ③

MNNMNMXMNX － MNNMNMX$\underline{\text{N}}$NX

42 | ④

＝기호 좌측을 보면 색상반전이 일어난 것을 알 수 있다. 따라서 비례식이 성립하기 위해서는 (　) 부분에 ●◇△▷이 들어가야 한다.

43 | ②

② 관성의 법칙
①③④ 작용 · 반작용 법칙

44 | ④

드라이아이스가 작아지는 것은 기화(액체→기체)가 아닌, 승화(고체→기체, 기체→고체)이다.

45 | ③

① 프리즘을 통과하는 햇빛 – 분산
② 아지랑이 – 굴절
④ 물 속의 빨대가 꺾여 보임 – 굴절

제4회 정답 및 해설

1	④	2	②	3	③	4	②	5	①
6	④	7	④	8	④	9	③	10	②
11	②	12	①	13	④	14	③	15	④
16	④	17	③	18	②	19	④	20	①
21	①	22	④	23	②	24	③	25	②
26	①	27	②	28	③	29	④	30	④
31	③	32	①	33	③	34	④	35	①
36	①	37	②	38	③	39	④	40	②
41	③	42	①	43	③	44	④	45	③

1 | ④

'휴지하다'는 '손에 들거나 몸에 지니고 다니다'라는 뜻으로 '휴대하다'와 비슷한 의미를 지니고 있다.

2 | ②

섭정하다 … 군주가 직접 통치할 수 없을 때 군주를 대신하여 나라를 다스리다
② 임금이 직접 나라의 정사를 돌보다

3 | ③

㉠ 단단한 물건을 쳐서 조각이 나게 하다.
㉡ 알로 품었던 새끼가 껍데기를 깨고 나오다.
㉢ 술기운 따위가 사라지고 온전한 정신 상태로 돌아오다.
㉣ 잠, 꿈 따위에서 벗어나다. 또는 벗어나게 하다.

4 | ②

① 금새→금세
③ 구지→굳이
④ 튼튼이→튼튼히

5 | ①

불면→불으면

6 | ④

싫은거 → 싫은 거

7 | ④

① 요쿠르트 → 요구르트
② 샌달 → 샌들
③ 앵콜 → 앙코르

8 | ④

보기는 '남에게 어떤 자격이나 권리, 점수 따위를 가지게 하다'의 뜻이다.
① 물건 따위를 남에게 건네어 가지거나 누리게 하다.
② 남에게 어떤 역할 따위를 가지게 하다.
③ 남에게 어떤 일이나 감정을 겪게 하거나 느끼게 하다.

9 | ③

③ 다의어 : 너무 바빠 손(일손)이 모자라서 그 사람의 손(도움)을 빌렸다.
①②④ 동음이의어

다의어	뜻이 여러 가지인 하나의 단어
동음이의어	소리는 같으나 의미는 다른 둘 이상의 단어

10 | ②

한 축 – 오징어 20마리

11 | ②

바다, 선풍기, 수박을 통해 여름을 연상할 수 있다.

12 | ①

사람들이 교환활동을 자발적으로 하고 있다고 제시되어 있다.

13 | ④

(나)잠을 잘 때 삶을 처음 시작할 때와 아주 비슷한 상황으로 돌아간다고 제시→(라)근거로 신체적인 측면을 제시→(가)신체적인 측면에 대한 예시→(다)정신적인 측면을 제시, '마찬가지로'라고 했으므로 앞에서 정신적인 측면과 대응되는 말 – 신체적인 측면 – 이 나온 뒤에 위치한다.

14 | ③

인습은 전통과 달리 현재 문화 창조에 이바지 할 수 없으므로, 전통은 인습과 구별되어야 한다는 것이 글의 중심 내용이다.

15 | ④

편익을 얻게 된다는 내용 뒤에 현재 비용을 지불하려 하지 않는다는 내용이 이어지므로 '그러나', 세금부담이 커질 수 있기 때문에 국가가 나선다는 내용이므로 '그래서'가 적절하다.

16 | ④

물을 증발시킨 후에도 소금의 양은 같으므로 15%의 소금물의 양을 xg이라 하면,

$x\times\frac{15}{100}=(x-40)\times\frac{25}{100}$, $x=100(\mathrm{g})$이다.

더 넣은 소금의 양을 yg이라 하면,

$60\times\frac{25}{100}+y=(60+y)\times\frac{70}{100}$, $y=90(\mathrm{g})$

17 | ③

나식 : 120분 – 30장 → 1분 – 0.25장

3시간동안 작업한 양은 $0.25\times180=45$(장)

따라서 하식이가 작업 할 양은 25장,

하식 : 150분 – 30장 → 1분 – 0.2장

따라서 소요시간은 $25\div0.2=125$(분), 2시간 5분

18 | ②

물탱크의 양을 1로 두면 한 시간 동안 채워지는 물의 양은 $A=\frac{1}{4}$, $B=\frac{1}{2}$, $C=\frac{1}{3}$이다.

A호스 x시간+B, C호스 1시간=1

$\frac{1}{4}\times x+\left(\frac{1}{2}+\frac{1}{3}\right)\times1=1$, $\frac{1}{4}x=\frac{1}{6}$, $x=\frac{2}{3}$(시간)

따라서 A호스로 물을 채운 시간은 40분이다.

19 | ④

정가를 x원이라 하면,

판매가 $=x-x\times\frac{50}{100}=x(1-\frac{50}{100})=0.5x$(원)

이익 $=500\times\frac{5}{100}=25$(원)

따라서 식을 세우면 $0.5x-500=25, x=1,050$(원)
정가는 1050원이므로 원가에 y%의 이익을 붙인다고 하면
$500+500\times\frac{y}{100}=1,050,\ y=110(\%)$
따라서 110%의 이익을 붙여 정가를 정해야 한다.

20 | ①

퇴근할때의 속도를 x라고 하면,
$\frac{3.75}{3}+\frac{3.75}{x}=2\rightarrow\frac{3.75(x+3)}{3x}=2$
$\rightarrow 3.75x+11.25=6x,\ x=5$(km/h)

21 | ①

남자회원의 20대 비율은 22.5%, 30대 비율은 27.5%로 총 50%이다. 따라서 나머지 나이대의 비율과 같다.

22 | ④

학과별 참가율은 $\frac{\text{참가인원}}{\text{전체참가인원}}\times 100$으로

경영 : $\frac{37}{120}\times 100 \fallingdotseq 30.8(\%)$

영문 : $\frac{24}{120}\times 100 = 20(\%)$

심리 : $\frac{18}{120}\times 100 = 15(\%)$

철학 : $\frac{13}{120}\times 100 \fallingdotseq 10.8(\%)$

정치 : $\frac{28}{120}\times 100 \fallingdotseq 23.3(\%)$

따라서 두 번째로 높은 학과는 정치학과이다.

23 | ②

참여인원의 증가율은
$\frac{\text{올해참여인원}-\text{작년참여인원}}{\text{작년참여인원}}\times 100$으로

경영 : $\frac{47-37}{37}\times 100 \fallingdotseq 27.0(\%)$

영문 : $\frac{32-24}{24}\times 100 \fallingdotseq 33.3(\%)$

심리 : $\frac{29-18}{18}\times 100 \fallingdotseq 61.1(\%)$

철학 : $\frac{20-13}{13}\times 100 \fallingdotseq 53.8(\%)$

정치 : $\frac{42-28}{28}\times 100 = 50(\%)$

따라서 전년대비 증가율이 가장 높은 학과는 심리학과이다.

24 | ③

산업용도로의 1km당 건설비$=\frac{300}{55}\fallingdotseq 5.5$(억)
따라서 10km 건설비$=5.5\times 10=55$(억)

25 | ②

관광용 도로의 1km당 건설비가 1억이므로 총길이는 30 km인 것을 알 수 있다.
따라서 산업관광용 도로의 총 길이는 283－30－55＝198km
산업관광용 도로의 1km당 건설비$=\frac{400}{198}\fallingdotseq 2$(억)
따라서 8km 건설비$=2\times 8=16$(억)

26 | ①

제시된 그림대로 접은 후 구멍을 뚫으면 ①이 된다.

27 | ②

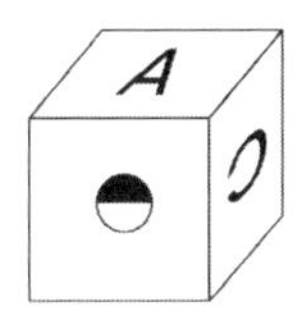

28 | ③

맨 윗줄 : 1개
두 번재 줄 : 4개
세 번째 줄 : 6개
맨 아래 줄 : 13개

29 | ④

직사각형은 나올 수 없다.

30 | ④

네 개의 단면이 일치하는 도형은 ④이다.

31 | ③

'안기다'는 '안다'의 피동사이므로 빈칸에는 '묻다'의 피동사인 '묻히다'가 오는 것이 적절하다.

32 | ①

① 커피, 녹차 < 음료
②③④소분류 – 중분류 – 대분류 순으로 연결되어 있다.

33 | ③

태호가 비타민D를 섭취하기 때문에 뼈가 잘 자라고 키가 클 것이라는 것은 알 수 있지만, 평균키를 넘을지는 알 수 없다.

34 | ④

'김치찌개 또는 된장찌개'라고 했으므로 '김치찌개를 좋아한다. – 된장찌개를 좋아하지 않는다'고 해야 적절하다.

35 | ①

내용에 따라 판매량 순으로 나열하면 다음과 같다.
수박주스 – 딸기주스/토마토주스 – 키위주스

36 | ①

해당 수열은 몇 항씩 묶어서 나눈 수열이다.
(1) (1 2) (1 2 4) (1 2 4 8) (1 2 $\underline{4}$ 8 10)

37 | ②

해당 수열은 세 개항씩 끊어서 보면 된다.
(1×3=3) (2×3=$\underline{6}$) (3×3=9) (4×3=12) (5×3=15)

38 | ③

앞 뒤 숫자의 차가 2씩 늘어나고 있다.
1 (+2) 3 (+4) 7 (+6) 13 (+8) 21 (+10) 31 (+12) 43 (+14) $\underline{57}$ (+16) 73 (+18) 91

39 | ④

바로 전 항에 ×2+1을 하고 있다.
따라서 511×2+1=$\underline{1023}$이다.

40 | ②

가운데 ◆을 기준으로 대칭되는 값의 합이 100이다. 따라서 100 – 69 = $\underline{31}$이 된다.

41 | ③

치타는 총 3번 제시되었다.

42 | ①

첫 번째 행은 상하대칭, 두 번째 행은 상하대칭 · 색상반전, 세 번재 행은 색상반전이 되고 있다.

43 | ③

소금물에 넣으면 좋은 볍씨는 가라앉고 쭉정이는 뜬다. 이는 좋은 볍씨와 쭉정이의 밀도차이를 이용한 것이다.

44 | ④

광합성 : 녹색식물이나 그 밖의 생물이 빛에너지를 이용해 이산화탄소와 물로부터 유기물을 합성하는 작용

45 | ③

수력 발전은 높은 곳의 물을 낮은 곳으로 보내어 그 물의 힘으로 수치를 돌려 그것을 동력으로 수차에 연결된 발전기를 회전시켜 전기를 발생시키는 것으로, 물이 가진 운동 에너지를 기계 에너지로 변환시킨 후 에너지를 얻는다.

제5회 정답 및 해설

1	②	2	④	3	①	4	②	5	③
6	③	7	④	8	①	9	④	10	①
11	④	12	②	13	③	14	③	15	③
16	②	17	③	18	①	19	②	20	③
21	④	22	③	23	③	24	④	25	②
26	①	27	③	28	④	29	①	30	③
31	②	32	③	33	①	34	②	35	③
36	③	37	①	38	④	39	②	40	①
41	④	42	③	43	②	44	②	45	④

1 | ②

우통하다 … 재빠르지 못하고 둔하다.

2 | ④

가멸다 … 재산이나 자원 따위가 넉넉하고 많다.
④ 가난하다 : 살림살이가 넉넉하지 못하여 몸과 마음이 괴로운 상태에 있다.

3 | ①

걸다
㉠ 음식 따위가 가짓수가 많고 푸짐하다
㉡ 액체 따위가 내용물이 많고 진하다.
㉢ 흙이나 거름 따위가 기름지고 양분이 많다.
㉣ 벽이나 못 따위에 어떤 물체를 떨어지지 않도록 매달아 올려놓다.

4 | ②

① 가리키는 → 가르치는
③ 오랫만에 → 오랜만에
④ 비로서 → 비로소

5 | ③

① 섭섭치 → 섭섭지
② 베갯닛 → 베갯잇
④ 곰곰히 → 곰곰이

6 | ③

하루동안 → 하루 동안

7 | ④

이원론[이: 원논]

8 | ①

제사날→제삿날

9 | ④

카운셀링→카운슬링

10 | ①

겨울, 엿, 고등학생을 통해 수능을 연상할 수 있다.

11 | ④

민간 업체가 제공하는 서비스의 수준이 낮거나 공익을 저해할 수 있기 때문에 민간 위탁 제도의 도입을 결정할 때에는 서비스의 성격과 정부의 관리 능력 등을 검토하여 결정해야 한다.

12 | ②

문장을 자연스럽게 배열하면 (나)－(가)－(다)－(라)의 순서가 된다.

13 | ③

이미 글에서 국민건강증진법에 허용된 장소에 설치되어 있다고 이야기 했으므로, '… 설치를 해야 한다'는 해당 보기는 적절하지 않다.

14 | ③

㉡에서 눈에 관한 언어를 생각해보자고 했고, ㉢에서 '또'라는 접속사와 함께, 눈에 관한 표현 외에 다른 미묘한 차이가 구분되는 언어를 설명하고 있으므로 그 사이에 들어가는 것이 적절하다.

15 | ③

깨진 유리창(작은 것)이 도난, 파괴 등(큰 범죄)으로 이어질 수 있다는 내용이므로 ③이 가장 적절한 설명이다.

16 | ②

집에서 카페까지의 거리를 $x$km라고 하면,

$$\frac{x}{3}-\frac{15}{60}=\frac{x}{12}+\frac{21}{60}\rightarrow 15x=36$$

$$\therefore x=\frac{12}{5}=2.4(\text{km})$$

17 | ③

하루가 가진 소금물의 양$=500-300=200$(g)

하루가 가진 소금물의 농도 x는,

$$\frac{7}{100}\times 300+\frac{x}{100}\times 200=\frac{9}{100}\times 500$$

$200x=2400$, $\therefore x=12(\%)$

18 | ①

배의 속력$=x$, 강물의 속력$=y$

$5(x-y)=20 \cdots$ ㉠

$4(x+y)=20 \cdots$ ㉡

㉡의 식에서 $x=5-y$를 ㉠에 대입하면,

$y=0.5(\text{km/h})$

19 | ②

15와 27의 최소공배수를 구하는 문제이다. 두 수의 최소공배수는 135이므로, 9시에서 135분 지난 뒤인 11시 15분에 동시에 출발하게 된다.

20 | ③

3명이 받는 돈의 비율은 16 : 8 : 6이다. 막내는 30만원의 $\frac{6}{30}$을 받으므로 6만원을 받게 된다.

21 | ④

누나의 나이=x, 엄마의 나이=y

$2(9+x)=y$, $3(x+5)=y+5$

$\therefore x=8$(세)

22 | ③

2020년 12월 생산 대수가 가장 많은 공장은 C공장이고, 재고 수가 가장 많은 공장은 A공장이다.

23 | ③

ⓐ=584-371=213

ⓑ=347+254=601

떡볶이 8월=393-218=175

ⓒ=838-371-175-254=38

ⓓ=213+218+347+159=937

24 | ④

① 2020년에는 전년대비 감소하였다.

②③ 2017년 : (46,573/61,472)×100≒75.7(%)

2018년 : (47,230/66,455)×100≒71.1(%)

25 | ②

신용대출이므로 적용요율은 0.8%

1000만원×0.8×(100/365)≒21,917원

원단위 절사하면 21,910원이다.

26 | ①

제시된 그림처럼 하면 ①이 된다.

27 | ③

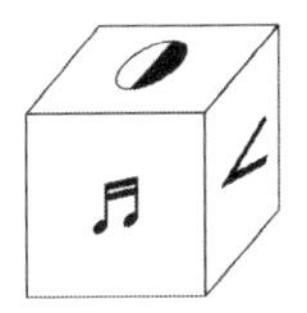

28 | ④

제시된 단면에 해당하는 입체도형은 ④이다.

29 | ①

해당 도형을 펼치면 ①이 나타난다.

30 | ③

제시된 도형을 가로 · 세로 대칭시킨 모양이다.

31 | ②

제시된 합격과 탈락은 반의어 관계이므로 승리의 반의어인 '패배'가 적절하다.

32 | ③

의류>원피스, 반바지

①②④는 모두 대등한 관계이다.

33 | ①

〈보기 2〉의 문장은 〈보기 1〉의 첫 번째 문장의 대우명제이다. 대우명제는 원명제와 항상 참 · 거짓이 일치한다.

34 | ②

주어진 명제에 따르면,

㉠ 부산을 가 본 사람=서울을 가 본 사람=여수를 가 본 사람

㉡ 여수를 가 본 사람=춘천을 가지 않은 사람

㉢ 따라서 서울, 부산을 가 본 사람=춘천을 가지 않은 사람

②는 ㉢의 대우명제이므로 올바른 것이다.

35 | ③

가을이 와서 날씨가 선선해지면 유리는 어떤 잘못도 용서해준다고 했으므로 ③이 옳다.

36 | ③

제시된 수열은 16씩 일정하게 증가하고 있다. 따라서 81+16=97이다.

37 | ①

제시된 수열은 차례로 $\frac{1}{2}$, $\frac{1}{3}$, $\frac{1}{4}$ … 씩 곱해지고 있다. 따라서 $\frac{5}{2} \times \frac{1}{6} = \frac{5}{12}$ 이다.

38 | ④

해당 수열은 ×3, −3이 반복 적용되고 있다.

2 (×3) 6 (−3) 3 (×3) 9 (−3) 6 (×3) 18 (−3) 15 (×3) 45

39 | ②

해당 수열은 앞의 두 항의 합이 다음 항이 되는 규칙이 있다. 따라서 1+3=4이다.

40 | ①

해당수열은 항을 두 개씩 끊어서 보면 (n, n^2)인 것을 알 수 있다. 따라서 $(n, 1^2)$이므로 빈칸에는 1이 들어간다.

41 | ④

'ㅂ'는 제시되지 않았다.

42 | ③

일반적으로 탄산음료에는 이산화탄소가 들어있으며, 이 이산화탄소는 산성을 이루는 음이온에 해당하므로 pH가 작다. 뚜껑을 열어놓으면 기체인 이산화탄소는 날아가고 음료의 pH는 증가하게 된다.

43 | ②

① 속력, 방향이 변하지 않음

③ 방향이 변함

④ 속력이 변함

44 | ②

탄력성은 외부의 힘에 의해 변형된 물체가 원래의 모양으로 되돌아가려는 힘으로, 손에 작용하는 탄력성의 방향은 왼쪽이다.

45 | ④

④ 역학적 에너지 보존 법칙 … 마찰이나 공기의 저항이 없으면 물체의 역학적 에너지는 일정하게 보존된다.
- 역학적 에너지=위치 에너지+운동 에너지

②③ 물체가 높은 곳에서 떨어지면 위치 에너지는 감소, 운동 에너지는 증가한다.

SEOWONGAK

절 취 선

울산광역시교육청
소양평가 모의고사

성 명

(자 필 성 명)

생 년 월 일

⓪	⓪	⓪	⓪	⓪	⓪	⓪	⓪
①	①	①	①	①	①	①	①
②	②	②	②	②	②	②	②
③	③	③	③	③	③	③	③
④	④	④	④	④	④	④	④
⑤	⑤	⑤	⑤	⑤	⑤	⑤	⑤
⑥	⑥	⑥	⑥	⑥	⑥	⑥	⑥
⑦	⑦	⑦	⑦	⑦	⑦	⑦	⑦
⑧	⑧	⑧	⑧	⑧	⑧	⑧	⑧
⑨	⑨	⑨	⑨	⑨	⑨	⑨	⑨

1	①	②	③	④	21	①	②	③	④	41	①	②	③	④
2	①	②	③	④	22	①	②	③	④	42	①	②	③	④
3	①	②	③	④	23	①	②	③	④	43	①	②	③	④
4	①	②	③	④	24	①	②	③	④	44	①	②	③	④
5	①	②	③	④	25	①	②	③	④	45	①	②	③	④
6	①	②	③	④	26	①	②	③	④					
7	①	②	③	④	27	①	②	③	④					
8	①	②	③	④	28	①	②	③	④					
9	①	②	③	④	29	①	②	③	④					
10	①	②	③	④	30	①	②	③	④					
11	①	②	③	④	31	①	②	③	④					
12	①	②	③	④	32	①	②	③	④					
13	①	②	③	④	33	①	②	③	④					
14	①	②	③	④	34	①	②	③	④					
15	①	②	③	④	35	①	②	③	④					
16	①	②	③	④	36	①	②	③	④					
17	①	②	③	④	37	①	②	③	④					
18	①	②	③	④	38	①	②	③	④					
19	①	②	③	④	39	①	②	③	④					
20	①	②	③	④	40	①	②	③	④					

절 취 선

울산광역시교육청
소양평가 모의고사

성 명

(자 필 성 명)

생 년 월 일

⓪	⓪	⓪	⓪	⓪	⓪	⓪	⓪
①	①	①	①	①	①	①	①
②	②	②	②	②	②	②	②
③	③	③	③	③	③	③	③
④	④	④	④	④	④	④	④
⑤	⑤	⑤	⑤	⑤	⑤	⑤	⑤
⑥	⑥	⑥	⑥	⑥	⑥	⑥	⑥
⑦	⑦	⑦	⑦	⑦	⑦	⑦	⑦
⑧	⑧	⑧	⑧	⑧	⑧	⑧	⑧
⑨	⑨	⑨	⑨	⑨	⑨	⑨	⑨

1	①	②	③	④	21	①	②	③	④	41	①	②	③	④
2	①	②	③	④	22	①	②	③	④	42	①	②	③	④
3	①	②	③	④	23	①	②	③	④	43	①	②	③	④
4	①	②	③	④	24	①	②	③	④	44	①	②	③	④
5	①	②	③	④	25	①	②	③	④	45	①	②	③	④
6	①	②	③	④	26	①	②	③	④					
7	①	②	③	④	27	①	②	③	④					
8	①	②	③	④	28	①	②	③	④					
9	①	②	③	④	29	①	②	③	④					
10	①	②	③	④	30	①	②	③	④					
11	①	②	③	④	31	①	②	③	④					
12	①	②	③	④	32	①	②	③	④					
13	①	②	③	④	33	①	②	③	④					
14	①	②	③	④	34	①	②	③	④					
15	①	②	③	④	35	①	②	③	④					
16	①	②	③	④	36	①	②	③	④					
17	①	②	③	④	37	①	②	③	④					
18	①	②	③	④	38	①	②	③	④					
19	①	②	③	④	39	①	②	③	④					
20	①	②	③	④	40	①	②	③	④					

절 취 선

울산광역시교육청
소양평가 모의고사

성 명

(자 필 성 명)

생 년 월 일

⓪	⓪	⓪	⓪	⓪	⓪	⓪	⓪
①	①	①	①	①	①	①	①
②	②	②	②	②	②	②	②
③	③	③	③	③	③	③	③
④	④	④	④	④	④	④	④
⑤	⑤	⑤	⑤	⑤	⑤	⑤	⑤
⑥	⑥	⑥	⑥	⑥	⑥	⑥	⑥
⑦	⑦	⑦	⑦	⑦	⑦	⑦	⑦
⑧	⑧	⑧	⑧	⑧	⑧	⑧	⑧
⑨	⑨	⑨	⑨	⑨	⑨	⑨	⑨

1	①	②	③	④	21	①	②	③	④	41	①	②	③	④
2	①	②	③	④	22	①	②	③	④	42	①	②	③	④
3	①	②	③	④	23	①	②	③	④	43	①	②	③	④
4	①	②	③	④	24	①	②	③	④	44	①	②	③	④
5	①	②	③	④	25	①	②	③	④	45	①	②	③	④
6	①	②	③	④	26	①	②	③	④					
7	①	②	③	④	27	①	②	③	④					
8	①	②	③	④	28	①	②	③	④					
9	①	②	③	④	29	①	②	③	④					
10	①	②	③	④	30	①	②	③	④					
11	①	②	③	④	31	①	②	③	④					
12	①	②	③	④	32	①	②	③	④					
13	①	②	③	④	33	①	②	③	④					
14	①	②	③	④	34	①	②	③	④					
15	①	②	③	④	35	①	②	③	④					
16	①	②	③	④	36	①	②	③	④					
17	①	②	③	④	37	①	②	③	④					
18	①	②	③	④	38	①	②	③	④					
19	①	②	③	④	39	①	②	③	④					
20	①	②	③	④	40	①	②	③	④					

절 취 선

울산광역시교육청
소양평가 모의고사

성 명

(자 필 성 명)

생 년 월 일

⓪	⓪	⓪	⓪	⓪	⓪	⓪	⓪
①	①	①	①	①	①	①	①
②	②	②	②	②	②	②	②
③	③	③	③	③	③	③	③
④	④	④	④	④	④	④	④
⑤	⑤	⑤	⑤	⑤	⑤	⑤	⑤
⑥	⑥	⑥	⑥	⑥	⑥	⑥	⑥
⑦	⑦	⑦	⑦	⑦	⑦	⑦	⑦
⑧	⑧	⑧	⑧	⑧	⑧	⑧	⑧
⑨	⑨	⑨	⑨	⑨	⑨	⑨	⑨

1	①	②	③	④	21	①	②	③	④	41	①	②	③	④
2	①	②	③	④	22	①	②	③	④	42	①	②	③	④
3	①	②	③	④	23	①	②	③	④	43	①	②	③	④
4	①	②	③	④	24	①	②	③	④	44	①	②	③	④
5	①	②	③	④	25	①	②	③	④	45	①	②	③	④
6	①	②	③	④	26	①	②	③	④					
7	①	②	③	④	27	①	②	③	④					
8	①	②	③	④	28	①	②	③	④					
9	①	②	③	④	29	①	②	③	④					
10	①	②	③	④	30	①	②	③	④					
11	①	②	③	④	31	①	②	③	④					
12	①	②	③	④	32	①	②	③	④					
13	①	②	③	④	33	①	②	③	④					
14	①	②	③	④	34	①	②	③	④					
15	①	②	③	④	35	①	②	③	④					
16	①	②	③	④	36	①	②	③	④					
17	①	②	③	④	37	①	②	③	④					
18	①	②	③	④	38	①	②	③	④					
19	①	②	③	④	39	①	②	③	④					
20	①	②	③	④	40	①	②	③	④					

절 취 선

울산광역시교육청
소양평가 모의고사

성 명

(자 필 성 명)

생 년 월 일

⓪	⓪	⓪	⓪	⓪	⓪	⓪	⓪
①	①	①	①	①	①	①	①
②	②	②	②	②	②	②	②
③	③	③	③	③	③	③	③
④	④	④	④	④	④	④	④
⑤	⑤	⑤	⑤	⑤	⑤	⑤	⑤
⑥	⑥	⑥	⑥	⑥	⑥	⑥	⑥
⑦	⑦	⑦	⑦	⑦	⑦	⑦	⑦
⑧	⑧	⑧	⑧	⑧	⑧	⑧	⑧
⑨	⑨	⑨	⑨	⑨	⑨	⑨	⑨

1	①	②	③	④	21	①	②	③	④	41	①	②	③	④
2	①	②	③	④	22	①	②	③	④	42	①	②	③	④
3	①	②	③	④	23	①	②	③	④	43	①	②	③	④
4	①	②	③	④	24	①	②	③	④	44	①	②	③	④
5	①	②	③	④	25	①	②	③	④	45	①	②	③	④
6	①	②	③	④	26	①	②	③	④					
7	①	②	③	④	27	①	②	③	④					
8	①	②	③	④	28	①	②	③	④					
9	①	②	③	④	29	①	②	③	④					
10	①	②	③	④	30	①	②	③	④					
11	①	②	③	④	31	①	②	③	④					
12	①	②	③	④	32	①	②	③	④					
13	①	②	③	④	33	①	②	③	④					
14	①	②	③	④	34	①	②	③	④					
15	①	②	③	④	35	①	②	③	④					
16	①	②	③	④	36	①	②	③	④					
17	①	②	③	④	37	①	②	③	④					
18	①	②	③	④	38	①	②	③	④					
19	①	②	③	④	39	①	②	③	④					
20	①	②	③	④	40	①	②	③	④